БОРИС ХАЗАНОВ

МИФ РОССИЯ

ОПЫТ РОМАНТИЧЕСКОЙ ПОЛИТОЛОГИИ

LIBERTY PUBLISHING HOUSE
NEW YORK • 1986

BORIS HAZANOV: Mif Rossia. Opyt romanticheskoi politologii

PUBLISHER – ILYA I. LEVKOV
LIBERTY PUBLISHING HOUSE, Inc.
475 Fifth Avenue, Suite 511
New York, N.Y. 10017

Original Russian title:
Миф Россия. Опыт романтической политологии

Cover design by VAGRICH BAKHCHANYAN

Printed in the United States of America
R.R.Donnelley & Sons Co.

ISBN 0-914481-30-4

СОДЕРЖАНИЕ

ВМЕСТО ПРОЛОГА
НЕОТПРАВЛЕННОЕ ПИСЬМО
.... 5

МИФ РОССИЯ

1. Ландшафт с барской усадьбой 14
2. Время разбрасывать камни 18
3. Ныне будешь со мною в раю 22
4. Сумерки богов 27
5. История с психиатрической точки зрения 34
6. Посрамление семиотики 39
7. Марксизм на арийский лад 44
8. Море – это я 50
9. Не судите, да не судимы будете 53
10. Нечто о патриотизме 57
11. Похвальное слово пастырям 60
12. Сквозь тернии и века 66
13. Третий Рим 73
14. Все то, что называли мы добром 78
15. Портрет государственного человека 84
16. Семьдесят тысяч призраков 91
17. Лагерь как экономическая формация 94
18. Впереди прогресса 99
19. Полуночное бракосочетание 105
20. И этот из них 109
21. Две веры 115
22. Ибо их есть царство небесное 126
23. Музыка революции 136
24. Реквием по исчезнувшему народу 142
25. Миф Россия 145

НЕМЕЦКИЙ ЭПИЛОГ
.... 153

ВМЕСТО ПРОЛОГА

НЕОТПРАВЛЕННОЕ ПИСЬМО

**Сон, который не истолкован,
подобен письму, которое не прочли.**

Талмуд

Перед рассветом я вижу одно и то же: большой серый город. Улицы блестят от дождя, потом начинает валить снег, народ толпится на остановке, автобус подходит, расплескивая лужи, люди висят на подножках, и я среди них. Все как прежде. Я дома. Нужно куда-то поехать, срочно кого-то повидать, позвонить по телефону, сообщить, что я вернулся. Нужно привести в порядок бумаги, которые остались в комнате. Я мечусь по городу. Дела идут все хуже. За мной следят, ходят за мной по пятам. Ради этого мне и разрешили приехать: чтобы собрать недостающие материалы по моему делу. Я чувствую, что подвожу людей, а люди думают, что подводят меня.

В эту минуту я начинаю просыпаться и вспоминаю, что я неуязвим. Как я мог об этом забыть? Сон продолжается, но я уже ни о чем не беспокоюсь. Никто об этом не подозревает, но я-то знаю, что в кармане у меня иностранный паспорт. Это такое же чувство, как будто в вагон вошли с двух сторон контролеры – а у меня в кармане билет! И никто со мной ничего не сделает. Можно даже поиграть, притвориться, что потерял билет, увидеть жадный блеск в глазах у хищника. И медленно, не спеша, растягивая удовольствие, вынуть синюю книжку с черным орлом. Счастливо оставаться! Я больше не гражданин этой страны. Хоть я и приехал домой, в Москву, никакого дома у меня, слава Богу, нет.

Если правда, что сны представляют собой некие послания, то это письмо прислали мне вы, оно приходит уже не первый раз, и каждый раз я возвращаю его нераспечатанным. Я отклоняю все приглашения в будущее. Сны ничего не пророчат. Нет, такой сон, если уж пытаться его разгадать, скорее предупреждает о том, что притаившаяся на дне сознания мысль абсурдна, что надежда бессмысленна. Надежда? Но ведь, как говорится, ты этого хотел, Жорж Данден.

Да еще с каких пор. Откровенно говоря, я всегда был плохим патриотом. С юности томил меня тоскливый зов внутренностей, почти физиологический позыв: уехать. Точно мой костный мозг стенал по какому-то другому, экзотическому солнцу. Блудливая музыка юга, гитары и мандолины будили во мне какую-то злую тоску, taedium patriae* – так можно было бы ее назвать. Не то чтобы я стремился в какую-то определенную страну, нет, я совсем не хотел сменить родину. Я хотел избавиться от всякой родины. Я мечтал жить без уз национальности, без паспорта, без отечества. Вместо этого я жил в стране, где патриотизм был какой-то бессрочной пожизненной повинностью, в государстве, к которому я был привязан десятками нитей, веревок, цепей и це-

* отвращение к родине (*лат.*).

пищ. Много лет, всю жизнь, меня не оставляло сознание несчастья, которое случилось со мной, со всеми нами и последствия которого исправить уже невозможно; несчастье это заключалось в том, что мы родились в России. Где же надо было родиться? Ответ выглядел нелепо, но это был единственный ответ: *нигде*. То есть все равно где, но только не тут.

И вот странным образом эта греза начала сбываться. С опозданием на целую жизнь и примерно так, как сбылось желание получить сто фунтов стерлингов, заказанное обезьяньей лапе в известном рассказе; но все-таки. Как-то незаметно одно обстоятельство стало цепляться за другое, внутренние причины приняли вид внешних и „объективных", появился человек, потом другой, потом оказалось, что все мы стоим, держась друг за друга, над обрывом; когда стало ясно, что отъезд нависает, уезжать расхотелось, но уже земля начала осыпаться, покатились камни. Наконец, обезьянья лапа, высунувшись из мундира, дала знак – и это произошло. Случилось истинное чудо. И дивное, ласкающее слух слово: staatenlos, бесподданный, стоит теперь в моих бумагах. Ибо вовсе без паспорта обойтись не удалось; но это уже не тот паспорт, который глупый поэт вытаскивал из широких штанин. Это, если хотите, паспорт, удостоверяющий, что владелец его не должен предъявлять никаких паспортов, никому ничем не обязан и никакому государству больше не принадлежит. Читайте, завидуйте. Хорошо стать чужим. Восхитительно – быть ничьим.

Неизвестно, конечно, защитил бы меня такой паспорт в нашей бывшей стране, но в конце концов дело не в этом. В моем сне была только одна абсолютно фантастическая деталь: возвращение. И в этом вся суть. В конце концов мало ли здесь, рядом с нами, людей, покинувших родину? Что значит быть эмигрантом? В Тюбингене какой-то старик в автобусе спросил меня: откуда я? И, услыхав мой ответ, сочувственно вздохнул. „Мой сын тоже эмигрировал". – „Куда?" – спросил я. „В Мюнхен, – сказал он, – туда же, куда и вы".

Быть может, субъективно разница в самом деле была не так уж велика. В детстве, уехав из Москвы в Сокольники, я был несчастнее всех эмигрантов на свете. И все же, говоря по справедливости, разница между нами не сводилась к тому, что беженец из Вюртемберга, покинув родные пенаты, провел в вагоне два часа, а вашему слуге пришлось покрыть расстояние в две тысячи километров. Разница была даже не в том, что ему не надо было переучиваться, привыкать к чужой речи, денежной системе, бюрократии, к другому климату, к новому образу жизни, тогда как я был похож на человека, который продал имение, с кулем денег приехал в другую страну – а там они стоят не больше, чем бумага для сортира, и это же относится ко всей поклаже; весь опыт жизни бесполезен; все, что накоплено за пятьдесят лет, чем гордились и утешались, все это, словно вышедшее из моды тряпье, надо сложить в сундук и обзаводиться, неизвестно на какие средства, новым гардеробом. Нет, главная разница все-таки состояла не в этом, а в том, что в отличие от швабского изгнанника я ни при каких обстоятельствах не мог вернуться.

„Никогда?" – спрашивают немцы. Разумеется, никогда.

Сегодня последнее воскресенье лета, тихий сияющий день. Должно быть, такая же погода стоит теперь и у вас. Даже число на календаре то же самое. Странно звучат эти слова: „у вас". „В ваших краях..." Смена местоимений – вот к чему свелся опыт этих трех лет, итог смены мест и „имений". В здешних краях Россию могут напомнить лишь пожелтевшие поляны, с которых местные труженики полей уже успели убрать злаки. Вот, думал я, если бы ничего не было, никакого бегства, а просто ночью во сне меня перенесли бы сюда: догадался бы я, что кругом другая страна? По каким признакам? Опушка леса ничем не отличается от тамошних. Та же трава, такая же крапива у края дороги. Подорожник, кукушкины слезки. Это напоминало игру в отгадывание языка, на котором составлен текст. Многие буквы совпадают. Из букв складываются слова, вернее, то, что должно быть словами. Ибо смысла не получается. Это другой язык. И как только начинаешь это понимать, как только спохватываешься, все меняется, и даже знакомые буквы становятся чужими. Ибо они принадлежат к другому алфавиту. Даже небо, если всмотреться, выглядит чуть-чуть иначе, словно количественный состав газов, входящих в воздух, здесь иной. Словно у старика, который бредет навстречу, разговаривая с собакой, иначе устроено горло. Все то же, и все другое. И слава Богу.

Мы не уехали, как уезжают нормальные люди, – пожав руку друзьям, обещая приезжать в гости, приглашая к себе. Нас выгнали. Или, что в данном случае одно и то же, выпустили. Выпустили! Вот слово, вошедшее в обиходный язык, обозначив нечто само собой разумеющееся, слово, которое не требует пояснений. Выпускают из клетки, из тюрьмы. В отличие от беглецов 1920 года, от беженцев из Германии тридцатых годов, мы были счастливыми эмигрантами. В Израиль, в Америку, в Европу, в Австралию – какая разница? Мы уезжали не на чужбину, а на свободу. Или думали, что едем не на чужбину, а на свободу. Heimweh is beter dan Holland, как сказал какой-то соотечественник Мультатули, лучше уж ностальгия, чем Голландия. Лучше подохнуть от тоски по родине, чем подохнуть на этой родине.

Родина и свобода – две вещи несовместные. Прыгнуть в лодку, оттолкнуться... и будьте здоровы. Однако эта метафора, как всякая метафора, коварна. Она соблазняет возможностью обойтись без рассуждений, а на самом деле узурпирует мысль. Она навязывает говорящему собственную логику и договаривает до конца то, чего он вроде бы не имел в виду. Метафора моря подразумевает берег, оставленный берег: отеческую сушу. „Ага, – скажете вы, – тут-то он и выдал себя". В таком случае считайте, что вы получили еще одно послание от Улисса, снедаемого тоской. В прошлом году он прислал открытку с видом на дворец царя Алкиноя. Потом со Сциллой и Харибдой. К Рождеству придет поздравление с почтовой маркой „Аид". Только в отличие от настоящего Улисса он из этого Аида не вернется.

Ибо мы, политические эмигранты из страны победившего нас социализма, мы не просто уехали. Уехав, мы перестали существовать. Нет и не может быть никакой русской словесности за рубежом, мы – призраки. Нас сконструировали „спецслужбы".

Нас выдумала буржуазная пропаганда. С нами случилось то же, что когда-то происходило с арестованными, увезенными ночью в черных автомобилях, расстрелянными в подвалах, бесследно сгинувшими в лагерях: нас не только нет, но и *никогда не было*. Кто такой Икс? – не было никакого икса, такой буквы в алфавите не существует. А значит, и все слова, все вывески, все фразы, где затесалась эта буква, подлежат исправлению. Меня не существовало, поэтому все, что я написал, изъято из библиотек, все, что я сделал, никогда не делалось, больные, которых я лечил, вылечены не мною, люди, которых поселили в моей квартире, в той самой квартире, где когда-то мы с вами сидели и философствовали о жизни и смерти, – люди эти понятия не имеют о том, кто тут жил до них. Это даже не политика, это логика. Всякое упоминание о нас недопустимо по той простой причине, что нас не было. Мы, так сказать, ликвидированы дважды. Выбрав свободу, мы изменили родине, – это логично, приходится выбирать что-нибудь одно; но наказать нас за измену невозможно, так как нас не было. Невозможно и бессмысленно обсуждать какие бы то ни было проблемы, касающиеся эмигрантов. Ибо нас попросту нет, не могло быть, и не было.

Но я-то знаю, что вы меня помните. Для вас я тот самый путешественник в страну, откуда не возвращаются, о котором еще не забыли, хотя никогда уже не думают в настоящем времени. Пока что я обосновался в имперфекте, завтра уеду еще дальше – в плюсквамперфект. Чего доброго, превращусь в тень отца Гамлета, буду являться по ночам и рассказывать вам о том, что было в давно прошедшие времена, когда славный король Клавдий еще не сидел на троне.

Но если в самом деле существует потусторонний мир, его обитатели, надо думать, считают потусторонней нашу, земную жизнь. И я ловлю себя на том, что думаю *о вас* как о мертвых. Нет, я не хочу сказать, что для вас все кончено. Солдат, раненный в бою, думает, что проиграно все сражение; эту фразу Толстого не мешало бы помнить оказавшимся по ту сторону холма, всем, кто утешает себя мыслью, что все честное и талантливое в стране или упрятано за решетку, или – уже не в стране. Но что верно, то верно: отсюда Россия представляется загробным царством, в котором остановилось время. Или по крайней мере страной, где вязкость времени – величина, которую когда-нибудь научатся измерять с помощью приборов, – во много раз выше, чем в Европе. Словно на какой-нибудь бесконечно далекой обледенелой планете там тянется один бесконечный год, пока здесь, на теплом и влажном Западе, несутся времена, сменяются годы и десятилетия. Это простое сравнение, может быть, и заключает в себе разгадку того, почему гигантское допотопное государство, казалось бы, исчерпавшее возможности дальнейшего развития, государство с ампутированным будущим, – почему оно все еще существует, продолжает существовать, не желая меняться, делая вид, что ничего не случилось, уверенное, что впереди у него – тысячелетнее царство. Потому что перемены, которые можно было бы заметить на расстоянии невооруженным глазом, для него гибельны. Огромная туша может позволить себе лишь медленные, тщательно рассчитанные движения. Упав, она не поднимется. Надо ли желать, чтобы она переставляла ноги быстрей? Ничто не дает права на это надеяться. Ничто не заставляет этого опасаться. Перемены происходят, но так медленно, что мы с вами не доживем до их результата. И слава Богу.

Что же делать? Бесспорно, эмиграция – это капитуляция. Мы не в изгнании, мы в послании... все это глупости. Никакого реального „мы", русская эмиграция, – толпа вольноотпущенников, разбежавшихся по свету, которую объединяет лишь чувство потери, великий неповоротливый язык, привезенный с собой, как куль, с которым некуда деться, да кошмар возвращения, – никакого „мы" эта эмиграция не представляет. Представлять можно только самого себя, быть самим собой. Тогда и вы не умерли, и мы не побеждены. Обнимаю вас...

МИФ РОССИЯ

1. ЛАНДШАФТ С БАРСКОЙ УСАДЬБОЙ

Вот экспозиция: похожая на реку из грязи дорога и кузов застрявшего грузовика. Кругом поля, заросшие диким бурьяном. О, Господи. Вот когда проклянешь судьбу. Вылезшему из кабины горожанину кажется, что он попал на край света. Из-за горбатого косогора, на который так и не удалось взобраться, выглядывает деревня, полтора десятка прохудившихся и кое-как залатанных крыш. На плешивом лугу, точно павший конь князя Олега, разлагается какой-то землеобрабатывающий механизм. И все это кащеево царство затянуто паутиной дождя.

Осмотревшись, обжившись, можно заметить признаки кое-какой экономической деятельности, а если вам случится побывать в расположенном неподалеку, километрах в восьмидесяти, районном центре, вы найдете там сложную иерархию учреждений, задача которых – направлять и контролировать эту деятельность. Но контраст между сельскохозяйственной бюрократией и самим хозяйством, между неимоверно разбухшим руководством и жалким обликом того, чем руководят, лишь сгущает впечатление призрачного существования, какой-то непоправимой катастрофы, постигшей весь этот край.

Словно настоящая жизнь идет где-то далеко. Люди живут как бы в щелях огромного государства, которому нет до них никакого дела. Такой щелью стала русская деревня.

Однажды, бродя по полям, заезжий гость, ибо кому же еще могут прийти в голову подобные мысли, спускается в лощину, по упавшему дереву храбро перебирается через тихую речку и попадает в другой век. Два ряда древних полузасохших лип, аллея, заросшая травой, и вдалеке белеет дом с колоннами. Этот дом пуст. Колонны осыпались, обнажился кирпич. За домом, призвав на помощь воображение, можно обнаружить остатки дворянского парка, где гуляет привидение – барышня в соломенной шляпе, в белом платье, с книжкой в руках. Перед вами памятник погибшей цивилизации. Здесь обитало исчезнувшее племя – в этих поместьях, близ этих рек.

Одного бывшего монархиста и белогвардейца, приехавшего на родину через много лет после того, как он ее покинул, спросили, похожа ли нынешняя Россия на ту, которую он знал? Что здесь напоминает ему прошлое? Он ответил: „Только снег". Однако вовсе не обязательно родиться до революции, чтобы испытать шок при виде того, что когда-то называлось Россией. И было бы трудно ответить на вопрос, в какую сторону вращались стрелки часов в отчем доме, пока скитавшийся по чужим краям блудный сын не надумал вернуться. Во всяком случае, это были какие-то совсем необычные часы.

Русский революционер Николай Морозов, сын помещика и крестьянки, член Исполнительного комитета террористической организации „Народная воля", просидевший в конце прошлого века в одиночной камере двадцать пять лет, занимался там толкованием Апокалипсиса с астрономической точки зрения и пришел к выводу, что античного мира не существовало. Памятники эллинской и римской литературы сочинены учеными монахами в средние века. Даты европейской истории должны быть пересмотрены. Что-то похожее, что-то напоминающее новеллу Борхеса "Uqbar", где рассказывается о культуре и письменности никогда не существовавшего народа, – его изобрели ученые, – приходит на ум, когда оглядываешься на золотой век русской культуры. Кажется, что вся она придумана, сочинена кем-то посторонним, и невозможно поверить, что ее творцы жили здесь, на этой бездыханной земле.

Параметр, который мы могли бы определить как *плотность истории на единицу географии*, здесь много меньше, чем на Западе. Русская история напоминает русский пейзаж; если природа повсюду стремится растворить в себе историю, то в России ей удалось это больше, чем в какой-либо другой европейской стране. По привычке мы оглядываемся на Европу, сравниваем себя с ней и считаем себя тоже Европой; но стоит только миновать клеверные поля и болота Польши, как привычное для европейца разнообразие путевых картин прекращается, словно вы очутились в мире с другой метрикой; поезд все так же неутомимо стучит колесами, но движение замедлилось; вы чувствуете, что эта страна начинает вас засасывать. Безбрежная плоская даль, почти без всяких естественных препятствий простирающаяся до Урала (за которым начинается новая даль), внушает чувство покоя и освобождает от времени.

Века плывут над ней, как тучи. История пронеслась, как татарская конница, и не пропала в пыли. Кого только не видала дорога, по которой влачились вы, кляня все на свете, – и что же? Русская равнина поглотила энергию завоевателей, и татары повернули коней у самых рубежей Западной Европы. Поляки, а за ними французы завязли на грязных дорогах, заблудились в лесах. Немцы утонули в снегу. Все миновало, не оставив, кажется, и следов.

Традиционная периодизация истории с трудом приложима к России. Эта страна не знала Ренессанса и Реформации, не знала буржуазной революции, переход от средневековья к Новому времени растянулся на много столетий, в каком-то смысле не завершен до сих пор, психология и уклад жизни большинства населения еще в начале прошлого века мало отличались от семнадцатого, даже пятнадцатого столетий, а двадцатый век застает деревенскую Россию почти той же, какой она была сто лет назад. После золотого века русской поэзии, прозы и музыки, после Константина Леонтьева, который мог бы стать учителем Ницше, и Николая Данилевского, чей труд „Россия и Европа", вышедший в 1871 г., до неправдоподобия напоминает Шпенглера, духовная культура России все еще кажется фантомом, чем-то пришлым, искусственно навязанным этой стране, и автор „Заката Европы" пророчит рождение „русско-сибирской" культуры лишь в неопределенном будущем: ему представляется, что ее еще нет! Если везде и во все времена – за исключением, быть может, Афин пятого века, – существовала дистанция между „духом" и „почвой", то в России их разделяет пропасть. Внуки и правнуки крепостных и сегодня составляют большинство населения, упорное, хотя и бессознательное сопротивление истории отличает поведение народа по сей день, – факт, который позволяет понять многие черты русской культуры и прежде всего ее беспочвенность в собственной стране.

2. ВРЕМЯ РАЗБРАСЫВАТЬ КАМНИ

На этом фоне внезапные разряды энергии, копящейся в двух столицах, потрясают страну, подобно землетрясениям или извержению вулканических недр. Немного можно назвать государств, где внутренние потрясения носили бы столь разрушительный характер. Когда вскоре после революции еврейского поэта Бялика, выехавшего в Палестину, спросили, что происходит в России, он ответил: „Ничего особенного; *хазир* (боров) перевернулся на другой бок". В этих словах не было ничего, кроме усталого неверия; в этом образе, однако, была доля злой правды. Время от времени спящий гигант видит небывалые сны. Это сны о сказочном будущем. Но вслед за тем происходит то, чему автор „Саги о погроме" не успел стать свидетелем: великан пробуждается и приступает к осуществлению своих снов. Мы наблюдаем воистину апокалиптическое зрелище: бессознательное целого народа становится его исторической действительностью.

Катастрофы русской истории – это одновременно прорывы в утопическое будущее. Здесь сменяют друг друга два времени, ни одно из которых не течет „нормально". Вечно отстающие часы российского государства внезапно начинают стучать с необычайной быстротой, и вязкое субисторическое время сменяется лихорадочным временем утопии. По законам климата, который одинаков на всей обширной равнине по обе стороны Волги, к востоку и к западу от Урала, в Москве и в Новосибирске, после долгой зимы весна наступает внезапно, чуть ли не в один день, – словно вдруг ударил в смычки и затрубил в трубы небесный оркестр. Словно колоссальный капитал терпения обесценился в одну ночь. Русская история сбивает с толку ученого; будучи летописью народа, сознание которого было и остается не историческим, а скорее мифологическим, она с трудом поддается оценкам в духе гегелевско-марксистской историософии. Подобно самой стране, она затягивает в себя и мистифицирует самый трезвый ум. История превращения России в Советский Союз запрограммирована в русском фольклоре. Пока старшие братья работают в поле, – младший, дурачок, что с него взять, – спит на печи. Он спит, и ему снится, что ведра сами пошли за водой. Затем сон чудесным образом сбывается: по щучьему веленью коромысло срывается с места и летит с ведрами к колодцу. Печка выезжает из избы вместе с дураком и совершает триумфальный путь по деревне. В конце концов он становится обладателем волшебных коней, побеждает врагов и женится на царской дочери, а лишенные воображения братья попрежнему уныло пашут землю.

Сказочный богатырь Илья Муромец, колоссальная инерционная масса России, тридцать три года сидит неподвижно в родительской избе. Он так могуч, что не может подняться с места. Но затем он, словно очнувшись, встает и седлает такого же, как он, огромного коня. Его ждут подвиги. Внезапный переход от растительного существования к сверхъестественной активности равнозначен скачку в другое время.

Время утопии – это время митингов, патетических клятв, лапидарных лозунгов и геометрических эмблем, время, когда некогда жить обыкновенной жизнью. Время изможденных вождей, потрясающих костлявыми кулаками, – и ответом им служит согласный гул толпы. И уже слышится мерный топот железных, точно выросших из драконьих зубов батальнов, аскетический восторг сотрясает массы – сегодня мы, а завтра весь мир. Это время полного экономического крушения, воровства и пиров, похожих на пир во время чумы, и посреди этого разора – шествие кумачовых флагов, какой-то нескончаемый парад-фестиваль; героическое время патрулей, нарукавных повязок, кожаных курток и скрипящих ремней, время юношей, время женщин, отшвырнувших быт. Свидетели, дожившие до наших дней, вспоминают об этом времени как о поре невиданных зорь, невероятных ожиданий. Такой юности не переживало ни одно из последующих поколений. В пыльных бурях гражданской смуты, в мусорном смерче рождение нового мифа возвещает о себе как некая заря обновления. Вдруг начинает казаться, что до горизонта, скрывающего лучезарное будущее, – подать рукой. Это будущее мыслится не как решение социальных проблем, а как их снятие во всеобщем благоденствии и всечеловеческой гармонии. Поэтому всякому реформизму объявляется война.

Не латать эту старую, изношенную, скучную и беспросветную жизнь, а сломать ее напрочь. Разрушение – есть созидание. На три, на четыре десятилетия гигантское неподвижное царство охвачено лихорадкой. В спешке и панике воздвигаются города, трещат леса, мелеют реки, целые деревни снимаются с места, уезд перебирается в область, область спешит в столицу, и скоро все города превращаются в чудовищно переполненные деревни. С бешеной скоростью крутится новый государственный механизм, перемалывая тело народа в фарш. Все едут, все государство куда-то переселяется, вокзалы запружены толпами, бабы кормят младенцев, сидя на деревянных чемоданах; все рушится и превращается в строительные площадки, все строится и все стоит недостроенным, странная, ветхая новизна преображает все вокруг. Но на полпути к земному раю силы оставляют измочаленного гиганта, и он вновь впадает в оцепенение.

И снова до чуткого слуха Европы доносится могучий храп... Империю заволокли душные облака. Между тем утопический потенциал медленно копится в мозгу погруженного в летаргический сон народа. Грезящий мозг гиганта – вот что такое культура России. Утопизм – характерная черта этой культуры, пронизанной не светом разума, но тусклой, как блеск лампад, национальной мифологией, культуры, носящей отпечаток высокого дилетантизма, сохранившей почти средневековую целостность и вместе с тем излучающей идеи будущего.

3. НЫНЕ БУДЕШЬ СО МНОЮ В РАЮ

Умерший в начале века Николай Федорович Федоров, внебрачный отпрыск одного из знатнейших русских семейств, чудак и бессребреник, не имевший собственного угла, ходивший зимой и летом в одном платье, а свое скромное жалованье библиотекаря московской Румянцевской библиотеки раздававший кому попало, – изложил свою философию Общего Дела в многословных, по большей части незаконченных трактатах, которые были изданы учениками после его смерти в виде двух толстых томов для бесплатного распространения. Федоров указывает человечеству на его главную ошибку: существование людей как единого коллектива лишено цели, каждый озабочен собственным благополучием, человечество в целом заблудилось. Торгашеская цивилизация соблазняет человека ложными приманками материального благосостояния, комфорта, успеха, сексуальной свободы, удовлетворения жажды власти, – другими словами, воспитывает и поощряет небратские отношения между людьми. Природа влечет человека к смерти. Предначертания Творца, этого источника жизни вечной, искажены и в естестве, и в общественной жизни. Истинной целью и общим делом всего человечества должно быть освобождение от смерти.

Как и Маркс (к которому Федоров относился с таким же презрением, как и к „черному философу" Ницше, – оба олицетворяли в его глазах ложную мудрость и аморализм Запада), – как и Маркс, Федоров убежден, что философия есть инструмент переустройства мира. Не объяснять миру, каков он, а указать путь к спасению. Философия должна быть устремлена не на то, что есть, а на то, что будет. Но это будущее оказывается опрокинутым в прошлое: иудейская стрела времени должна быть перевернута; то, что называется прогрессом, – обман; не забота о потомстве, вечная забота живущих, а забота о предках должна стать смыслом деятельности всех и каждого. Вместо того, чтобы без цели размножаться, надо вернуть к жизни тех, кому мы обязаны жизнью. Таков урок, преподанный нам Иисусом Христом. Ибо Христос не женился, а оживлял умерших. Христос не родил детей, но служил Отцу. И его смерть, смерть Спасителя, за которой последовало воскресение, есть не что иное, как парадигма судьбы всего человеческого рода.

Итак, Общее Дело состоит в воскресении всех отцов, всех когда-либо живших людей. В мире ничто не пропадает. Тела умерших будут воссозданы из атомов, рассеянных в земной коре. Для выполнения этой грандиозной программы необходима сплоченность всего человечества. Будут созданы гигантские трудовые армии. Все будут жить вместе, собственность будет отменена раз и навсегда. Половой инстинкт, этот primum movens* дурной бесконечности бесцельного размножения, угаснет. Похоть тела, похоть богатства, похоть власти – рассеются, как мираж. Бодрый труд и общее дело восстановят братские отношения между людьми. Пример покажет Россия, ибо только русский народ устоял про-

* „первое движущее", первооснова (*лат.*).

тив духа западной меркантильности и эгоизма. Не зря сказано: с Востока – свет! Только в России сохранилось в чистоте учение Христа. И за Россией последует мир. Возвращение к жизни умерших поставит задачу расселения миллиардов человеческих существ в космосе, но, как и задачу воскресения, ее разрешит наука.

Если Французскую революцию в большой мере подготовила философия Просвещения, то о революции в России можно сказать, что ее предварил расцвет особого рода натурфилософии, отцом которого был Федоров. Должно быть, этот нищий энциклопедист, одетый в какой-то зипун, с нечесаной бородой и маленькими глазками, обладал неотразимым обаянием, иначе трудно понять, каким образом он сумел увлечь, пусть ненадолго, своими идеями таких собеседников, как Лев Толстой, Владимир Соловьев, Федор Достоевский, и оставил учеников, своего рода секту, фанатически преданную его памяти. В Федорове почти карикатурно соединились неслиянные потоки русской мысли, вера в христианское преображение и в безграничные возможности науки, человеколюбие, мессианство и жуткий проект будущего, похожего на концлагерь. В конце концов проповедь Федорова есть не что иное, как бунт против истории или, как выразился по другому поводу Осип Мандельштам, „великая славянская мечта о прекращении истории в западном значении слова". Федоров открывает эпоху коллективизма, великих планов, массового помрачения психики. Самый стиль его писаний, наставительный тон и скучная обстоятельность, с которой излагаются вполне абсурдные вещи, наводят на мысль о помешательстве. Где-то между фантастическим визионерством и самым вульгарным позитивизмом, рядом с которым позитивизм Чернышевского выглядит вершиной духа, родилась эта запоздавшая на четыре века натурфилософия. И она не осталась без продолжения. В числе питомцев Федорова находится Константин Эдуардович Циолковский, молодой провинциал, посещавший Румянцевскую библиотеку, ныне Библиотеку имени Ленина, где в задней комнате, за баррикадами книг, трудился над составлением картотеки седобородый пророк Общего Дела. В СССР Циолковский почитается как изобретатель ракетного двигателя, способного преодолеть силу земного притяжения; странного вида мемориал, дань официальному культу отца космоплавания, похожий на гигантский фалл, вознесенный в небо, должен напоминать москвичам о необычайном успехе его идей. Тем не менее в оригинальном изложении эти идеи мало кому известны. Они погребены в брошюрках, ставших библиографической редкостью, которые Циолковский печатал в Калуге, на серой оберточной бумаге, в годы революции и гражданской войны. Часть его сочинений не опубликована. В затхлом провинциальном городке, где он был школьным учителем, среди непролазной грязи, убожества и запустения, он грезил о неограниченной экспансии человечества и превращении всего человеческого рода в сверхразумное „лучистое тело", которое будет парить в околосолнечном пространстве после того, как все земное вещество будет израсходовано на нужды промышленности и науки.

В этот ряд утопистов, – его можно было бы продолжить, – мы обязаны включить и Владимира Ильича Ленина, как бы ни показалось странным сопоставление Ленина с чудаком Федоровым, о котором он никогда не слыхал, и, конечно, был бы шокирован, если бы ему сказали, что он следует за ним; Ленин полагал, что он следует Марксу. Однако ленинизм – это такая же фантасмагорическая программа, проповедуемая с каменной серьезностью, напоминающей серьезность душевнобольного, которому не приходит в голову, что он бредит. Сочетание политической трезвости с фантастическим мировоззрением – одна из самых поразительных черт Ленина. Реализм, неотличимый от беспринципности, мастерство плетения интриг и умение заставить людей плясать под свою дудку соединяются в нем с верой в спасительную миссию рабочего класса, в мировую революцию и будущую гармонию, в то, что нищая и неустроенная Россия может одним прыжком перелететь через вонючее болото своей действительности в светлое царство коммунизма. „Учение о партии", проект захвата власти небольшой группой профессиональных революционеров, которые поведут за собой поддерживающий их пролетариат и колеблющееся, но увлекаемое общим революционным порывом крестьянство в ослепительное будущее, в общество, где не будет ни собственности, ни эксплуатации, ни классов, ни самого государства, – это учение родилось в обстановке конспиративных кружков, в густом папиросном дыму и ночных словопрениях, и сама эта призрачная, подпольная среда оставила на нем свой отпечаток. Дух вселенского авантюризма, якобы санкционированного наукой, веет над ним. Сочинения Ленина, посвященные тактике революционного движения и содержащие подробнейший проект захвата власти, поражают наивностью и неопределенностью представлений о том, что же будет, когда эта власть перейдет наконец в руки партии. Предполагалось, что главное – совершить революцию, а там все устроится само собой. („Найти смысл жизни, – писал Федоров, – и сама собой уничтожится вся путаница".) На съезде комсомола вождь партии говорил молодым людям, сидящим в зале: „Вы будете жить при коммунизме". Горизонт казался совсем близким.

Мраморный склеп под стенами византийского Кремля, где покоятся голова и плечи основателя первого социалистического государства, – все, что от него осталось, – может быть, самый впечатляющий символ ленинизма, образ жуткого бессмертия. Не Христос, а Ленин демонстрирует это бессмертие. Но если бы он в самом деле восстал из гроба, поглядеть, что вышло из его предприятия, он был бы немедленно арестован и объявлен врагом народа, подобно тому как приходится арестовать Христа, явившегося во второй раз, в легенде о Великом инквизиторе Достоевского.

4. СУМЕРКИ БОГОВ

Философы по-разному объясняли мир, а речь идет о том, чтобы его переделать. Не идеи правят миром, а материальные потребности. Чтобы потреблять, надо производить. Значит, все дело в средствах производства, в том, кому они принадлежат, и в производственных отношениях. Общество, где производительные силы не соответствуют производственным отношениям, обречено, и чем скорей оно рухнет, тем лучше. Марксизм возник как реакция на прекраснодушие девятнадцатого века. Его сходство с двумя другими великими системами своего времени – дарвинизмом и фрейдизмом (сложившимся позже, но типологически тяготеющим к веку монистической мысли) бросается в глаза. Как и они, марксизм исходит из единой посылки, которая должна объяснить все. Как и они, он провозглашает отказ от иллюзий. Долой лицемерие! Взглянем в глаза жестокой правде жизни. В конце концов мир прост. Стальные фермы экономики и политики, власти и порабощения, – вот истинная суть жизни, все прочее лишь придаток или декорация. Люди думают, что их чувства, надежды, вера, мудрость, мораль постепенно сделают мир более совершенным. Чушь! Не идеи правят миром, а мир правит идеями. Люди делают вид, что живут собственной жизнью, но на самом деле влекутся, как песчинки за волной, покорные своим классовым интересам. Мир прост. Он состоит из имущих и неимущих. Два стана стоят друг перед другом, склонив каменные головы, как быки.

В России эту правду не надо было открывать: она лезла в глаза на каждом шагу. Искусство социальной косметики не достигло в России такого совершенства, как на Западе. В России метафизика сидела в лохмотьях и тянула руку за подаянием. Достаточно было заглянуть в ворота первой попавшейся фабрики, чтобы убедиться: старик прав, а все остальное – болтовня. Однако именно на русской почве обнажился и засиял, как выдернутый из ножен клинок, – скрытый под научно-позитивистской оболочкой мифологизм марксистского усилия.

Великим теориям присущ деспотизм. С некоторого момента теория, превратившись в законченную систему, начинает жить самостоятельной жизнью и порабощает самого фундатора и его учеников: отныне вся их забота – служить системе. Деспотизм теории порождает тягу к неограниченной экспансии. Подобно империям, великие теории стремятся поработить мир. Родившись в лоне частной науки, в рамках отдельной дисциплины, теория распространяется на другие области знания, ширится и обрастает вассальными княжествами. Начав с заявлений о трезвости, о суровом реализме, теория под конец теряет всякую трезвость. Это уже не наука, а идеология. И даже не идеология, а откровение. Ибо она не только пригодна для объяснения всего на свете, но и несет спасительную весть; не только толкует прошлое, но и пророчествует о будущем. Философы по-разному объясняли мир, а его надо переделать.

Но для этого теория должна „овладеть массами". С некоторых пор становится безразлично, каким именно путем, на основании каких фактов и с помощью каких доводов теория доказывает свою правоту. Став абсолютной истиной, она более не нуждается в доказательствах. Да и кто станет все это читать?.. „Мы диалектику учили не по Гегелю!" – восклицает поэт революции Маяковский. Можно добавить: и не по Марксу. Истина очевидна. Мир погряз в грехе, в поклонении идолу денег. Мир порабощен алчной буржуазией, воплощением всего худшего в истории. Но явился избранный народ, русский пролетарит, в широком смысле – весь руский народ, и новый Моисей ведет его в обетованную землю. Как и Моисею, Ленину не довелось увидеть завершение этого пути; его дело продолжает верный ученик, с нами наше великое Учение, с нами – симпатии угнетенных всей земли. Так, вперемежку с обломками иудео-христианской мифологии, родилась новая русская утопия, захватившая значительную массу населения бывшей Российской империи, – утопия, которая ослепила, ужаснула, очаровала, загипнотизировала чуть ли не весь мир.

Но проходит сколько-то времени, пять или десять лет, и разбойничий посвист стихает, хрипнет голос ораторов. Все отчетливей слышится сквозь гомон и пение толп – металлический голос вождя, призывающий к дисциплине. Миф поворачивается к народу иным, насупленным ликом. Этот голос напоминает о том, что героический этап национальной истории завершен. В будущем, под пером и кистью художников, уходящая эпоха обретет эстетическую замкнутость легенды; наступает время систематизации мифа, творческие потенции его исчерпаны. Но сейчас голос вождя высекает новые формулы очередных задач. Вместо вооруженных, чеканящих шаг батальонов появляются батальоны с кирками и лопатами. Некоторое время энтузиазм стройки еще имитирует энтузиазм борьбы. Все реже находится повод митинговать, все яснее и ниже цель: не переустроить мир, а построить металлургический комбинат; весна человечества может подождать; вопреки зароку снести весь старый мир до основания выясняется, что технология втыкания в землю лопаты не изменилась; выясняется, что кто был никем, тот им и остался. Становится ясно, что миссия переделки мира не освобождает от быта. Женщины возвращаются к детям. Дети становятся предметом более основательных забот: стране нужны солдаты. Солдатам нужны генералы. Миф материализуется в застылых формах мифологического государства. Из вселенского он становится национальным. Подчеркивается, что построение царства небесного на земле есть привилегия и заслуга нашего народа, а не какого-либо иного. Делаются первые попытки нащупать связь с прошлым: мы не только его отрицаем, мы – его продолжение. Эта связь укрепляет растущее уважение к атрибутам государственности, к идее государства. Вносится необходимый корректив в теорию: государство не отмирает с победой социализма, напротив, оно укрепляется. Теперь лозунги, эти краткие формулы мифа, не намалеваны на фанере, не начертаны на стенах зданий вольной кистью художника-максималиста; оправленные в багет, на бархате, они сияют имперским золотом в уютных, ярко освещенных залах, куда входят в начищенной обуви и по пропускам.

Постепенно эта система пропусков перегораживает всю страну. Режим обретает глубину и предстает в перспективе. И в этом отдалении, на крутизне, по-прежнему высится и притягивает все взоры фигура вождя. Он все тот же, он не стареет; все в той же фуражке; простой, каким надлежит быть сыну народа, и загадочный, каким подобает быть божеству. Всеобщее усложнение не коснулось его. Он вне бюрократии, вне паутины бумаг, учреждений, правил. Он умеет говорить особым языком: понятным народу и в то же время таинственно-многозначным, ритмическим, с повторами и подхватами; его слог напоминает дурной перевод Библии – возможно, оттого, что в юности вождь был семинаристом. Беззаветная преданность народу помешала ему завершить образование. Загадочность, излучаемая свыше, осеняет всю страну. Государство заволакивается непроницаемой тайной. Поет и бряцает на все лады неслыханная по размаху и наглости пропаганда. Втайне режим свирепеет. Никто не заметил, как страна оказалась затянутой паутиной концлагерей, как внутри страны возникла другая страна, невидимая, не нанесенная на карты, расположенная где-то далеко и в то же время рядом, вокруг нас. Присутствие этой страны ощущается всюду, в славословиях поэтов, в клятвах преданности и верности. Она – как запах гниющего трупа в подвале. Словарь сокращается до одной трети, остальные две трети слов – под подозрением. Из десяти людей один – доносчик, пятеро на прицеле. Но люди сохраняют веру. Еще живы воспоминания о революции, еще молодежь не решается зубоскалить. Энтузиазм, замешанный на страхе, как тесто на дрожжах, творит чудеса, и постепенно вооруженное до зубов, до кончиков волос и когтей государство становится могущественнейшей державой в мире.

Мифологический режим достиг зенита, хотя попрежнему кажется, что высшая зрелость впереди. Обнаруживается надлом. Все враги уничтожены, действительные и мнимые, впрочем, так же необходимые, как действительные. Солнце палит, погружая в сонливость часовых. Флаги повисли на мачтах. Это летний день, апофеоз режима. И в эту минуту становится ясно, что миф *надоел сам себе.* С ужасающей очевидностью обнаруживается факт, что режим пожрал сам себя. Его сонная неподвижность есть следствие самопереваривания. Никаким эмоциям нет больше места, даже яркие краски страха пожухли. Тщетно винить умершего вождя, унесшего с собой рецепт бессмертия. Лозунги превратились в набор слов. Пустопорожней болтовней стали все речи, все выступления, заявления и постановления, все, что изрыгают репродукторы, все, о чем шелестят газеты, бессильно и монотонно лгущие самим себе. Спорить с ними, опровергать их нет никакой охоты. Они не заслуживают возражений. И постепенно доходит до сознания, что вождь ушел вовремя. Ведь это не человек умер, а бог сверзился с неба, испустил дух великий Портрет, глядевший сверху на свой народ живыми глазами мифа. Распалась связь времен. Героическое прошлое наскучило, нация утратила к нему интерес. Но что еще ужасней, сама нация исчезает, уступает место чему-то бесформенному, не предусмотренному мифической наукой. Вместо рабочих и крестьян – толпа апатичных и прожорливых иждивенцев. Миф распался, а иной религии эта масса не знает. Никто уже не помнит, о чем шумели и митинговали, и если кто-нибудь еще верит, то лишь в необходимость самого состояния быть верующим. Увы, и эта вера уходит. Режим, который сумел устоять в величайших бурях, не в силах больше оборонить себя от всеобщего безразличия, от неуловимой заразы, от туч моли, садящейся на знамена. Весь роскошный декор – бархат, и шелк, и золото – изношен до дыр.

5. ИСТОРИЯ С ПСИХИАТРИЧЕСКОЙ ТОЧКИ ЗРЕНИЯ

Крах утопии означает не только смерть будущего, во имя которого было принесено столько жертв, но и смерть славного прошлого. Вся история борьбы и побед начинает казаться бессмысленной. Героическая юность страны приобретает криминальный оттенок. Гражданская война предстает как кровавый абсурд. Страстные речи трибунов наводят на мысль о каком-то всеобщем помрачении рассудка, от этого впечатления невозможно отделаться, даже читая выступления Троцкого и Ленина, не говоря уже о бесчисленных резолюциях, решениях и обращениях к трудящимся всех стран. Самый словарь двадцатых годов кажется чудовищным измывательством над языком, и сейчас нам легче понять людей прошлого века, чем деятелей времен военного коммунизма и нэпа, коллективизации и первых пятилеток.

На ум приходит клиническая метафора, и, что самое грустное, она не кажется слишком смелой. Описанная классиками психиатрии трехфазная эволюция шизофренического бреда представляет собой схему, куда без особого насилия над действительностью укладывается и эволюция государственного мифа. Мы можем, таким образом, говорить об особом – психиатрическом – аспекте истории. Нам представляется случай пройтись по этому госпиталю двадцатого века, где содержатся без надежды на исцеление целые народы. Взрыв утопической энергии напоминает острый психоз; как и в случае с пациентом, эта фаза носит творческий, продуктивный характер: бред непрерывно обогащается, обрастает подробностями, расцветает диковинными цветами. Миф еще не сложился. Далее наступает фаза стабилизации. Миф обретает государственно-упорядоченные формы. Пациент живет внутри созданной им системы бредовых идей и представлений, как живут в доме, построенном своими руками. Наконец, в третьей фазе творческие и конструктивные потенции мифа иссякают. Бред теряет внутренний смысл и связность, бледнеет и рассыпается. Им больше не живут. Больной уже никого не хочет убедить и тупо повторяет одни и те же словосочетания; еще немного – и они превратятся в междометия. Врачи знают, что означает этот распад речи. Крушение бредовой системы знаменует необратимый распад личности.

Тем самым мы ответили на вопрос, что осталось сегодня от марксистско-ленинской идеологии в стране, где она одержала свою самую блистательную победу. Конечно, этот вопрос звучит риторически для человека, прожившего жизнь в СССР. Ведь ему пришлось наблюдать больного вблизи. Но оставим метафоры. Легче всего объяснить крушение веры разочарованием. Светлое царство не наступило, его приход отсрочен на неопределенное будущее. Заметим, однако, что фантастический прогноз не исчерпывает всего „учения", постулаты которого, по крайней мере за пределами России, не вполне изжили себя и сегодня. Одно из удивительных впечатлений, ожидающих русского эмигранта в Европе, – увидеть, что слова „марксизм-ленинизм" не вызывают улыбку у окружающих. Возникает странная мысль, что само по себе „учение", может быть, вовсе тут ни при чем: его роль свелась к артикуляции того, что было первичным по отношению ко всем теориям. Истощение утопического потенциала обесценило веру, а вместе с ней и придавшую ей вид науки теорию.

Но „утопический потенциал" – понятие достаточно неопределенное, а марксизм-ленинизм – нечто такое, с чем и по сей день каждый советский гражданин сталкивается на каждом шагу. Все знают, что СССР – идеологическое государство. Постулаты вероучения составляют тело и кровь режима, воплощены в его структуре. Как для еврейских каббалистов мир был построен из букв и слов священного языка, так и о советском государстве можно сказать, что оно создано из тезисов и изречений. Как же оно продолжает существовать, если тезисы лишились смысла, если „язык" мертв?

В Москве произошел трагикомичный случай. Во время очередного съезда партии все газеты, по заведенному порядку, напечатали речь Генерального секретаря КПСС. В ней были перечислены видные деятели зарубежных компартий, умершие со времени предыдущего съезда. После перечня имен и приглашения почтить память покойных товарищей минутой молчания в тексте речи, который поместила „Медицинская газета", стояло: „Бурные аплодисменты".

Ошибка, пропущенная многоэтажной цензурой, объяснялась привычкой к стереотипу: за именами коммунистических лидеров автоматически должны следовать аплодисменты зала. Нечего и говорить о том, что инцидент дорого обошелся редактору. Но, быть может, он означал нечто большее, чем служебную оплошность. Дело в том, что на ошибку не обратили внимания не только те, кто выпускал номер, надзирал над выпускающими и контролировал надзирающих. Ее не заметили и читатели. Вся речь состояла из стереотипов, давно лишившихся в глазах читателей какого-либо реального содержания, и в сущности была прочитана только корректором. Но и он видел в ней лишь последовательность стандартных словосочетаний.

Все понимали, что съезд созывается не для того, чтобы обсуждать какие-нибудь вопросы и принимать решения, а потому, что полагается, чтобы время от времени происходили партийные съезды. Старый, обрюзгший и задыхающийся человек был принужден два часа стоять на трибуне, читая заготовленную для него речь, не потому, что он хотел убедить аудиторию в своей правоте, а потому, что заведенный порядок предусматривает необходимость произнесения многочасовых ритуальных речей. Люди, время от времени прерывавшие его аплодисментами, делали это не потому, что их восхитил его ум и покорило ораторское искусство, – ни ума, ни искусства в речах оратора никогда не было, никто и не ожидал от него этих качеств: в конце концов он был один из них, такой же, как они, – но они делали это просто потому, что ритуал съезда требовал, чтобы присутствующие время от времени, по установленному знаку, поднимались с мест и хлопали в ладоши. История с „Медицинской газетой" случилась примерно десять лет назад, о ней давно забыли. С тех пор на трибуне сменилось несколько ораторов; последним взошел человек более моложавого вида, с живым взглядом, энергичными жестами и родимым пятном на лбу – печатью Антихриста, по народному поверью; но ни жесты, ни печать не могут изменить существо дела. И, как прежде, речь вождя сопровождается бурными аплодисментами, дикторы декламируют ее по радио и телевидению, газеты уверяют граждан, что весь мир, затаив дыхание, прислушивается к каждому слову этой речи. Все происходит по однажды заведенному порядку, и все, начиная от высших функционеров и кончая плебсом, понимают, в чем его суть и смысл. Суть состоит в отсутствии сути. Смысл порядка – это сам порядок.

В центре Москвы, неподалеку от основного комплекса зданий Комитета государственной безопасности, находится Идеологический отдел Центрального Комитета партии. Здесь же, на одной из центральных площадей, расположен Институт марксизма-ленинизма, а позади него – Прокуратура СССР. Эти подробности столичной географии сами по себе дают возможность судить о том, какое место в государственно-административной машине занимают идеологические учреждения. Вместе с карательными учреждениями они образуют становой хребет режима. Уже это оправдывает существование идеологии: каково бы ни было ее содержание, она *символизирует государственный порядок.* Если это так, то сдвиг от содержания к „слову", к оболочке учения, в некотором смысле более существенной, чем его сущность, – представляется естественным. Во всевозможных ритуальных акциях, в речах и докладах ссылки на „самое передовое мировоззрение", цитаты из классиков марксизма-ленинизма и т.п. принимают вид священной абракадабры; это сакральный язык, и этим ограничивается его функция: содержание текстов никого, кроме самих священнослужителей, не интересует.

6. ПОСРАМЛЕНИЕ СЕМИОТИКИ

Нечто похожее происходит с символикой. Символы сыграли в революции такую огромную роль, что многие приняли их за ее суть. Постепенно они образовали целый язык: плакаты, портреты, лапидарные лозунги, близкие к формулам и нередко построенные как математические формулы („коммунизм есть советская власть плюс..."), стилизованные персонификации народа – суровые лица рабочих и крестьян, глаза, горящие верой, лес рук, голосующих „за", воины с винтовками или с ракетами, отважные пограничники, мужественные чекисты, пехота, печатающая шаг, – руки сжимают оружие, головы повернуты в одну сторону, и круглые шлемы образуют ровные ряды, как шляпки шампиньонов; колосья, турбины, мачты высоковольтной передачи, кремлевские башни, легендарный крейсер „Аврора" с пушками и прожекторами, нацеленными на Зимний дворец, Ленин во всех видах, изготовленный из всех материалов – из гипса, из мрамора, из гранита, из цветов на клумбах, Ленин-мальчик, Ленин, разоблачающий оппортунистов, Ленин с рабочими, Ленин на броневике, Ленин с простертой рукой, огромный, как египетский фараон. Все вместе эти знаковые изображения и близкие к знакам тексты образуют своего рода эпос, наглядную идеологию, и каждый, кто хотя бы короткое время побывал в СССР, знает, что, подобно дорожным знакам, они выставлены везде. В детском саду ребенка встречает стенд: малыши тянут ручонки к солнцу, в центре которого – лысый профиль дедушки Ленина. С небольшими изменениями это повторяется в конторе, в кинотеатре, в отделении милиции, в больнице, в доме престарелых, в похоронном бюро. Конечно, все это не новость; могущество идеологических символов в тоталитарных государствах хорошо известно; однако то, что обычно говорилось об этой символике, предполагало ее неувядаемую свежесть. Подобно лику вождя, никогда не стареющего на своих портретах, семантика лозунгов и плакатов всегда представлялась равной самой себе. Возможно, это объясняется тем, что наиболее изученный, известный всему миру, образцовый тоталитарный организм – Третья империя – погиб в юности, на вершине блеска и могущества. То, что произошло в СССР, можно рассматривать как вырождение знаковой системы.

Решающим шагом в расшифровке некоторых экзотических письменностей была догадка, что мы имеем дело именно с текстом, а не с орнаментом. Комбинация штрихов, помимо того, что она красива, должна еще что-то означать. В той единственной в своем роде стране, о которой идет речь, мы наблюдаем противоположный процесс превращения надписей в узоры. „Учение Маркса всесильно, – гласит ленинский афоризм, выбитый на камне перед памятником великому Учителю в Москве, – потому что оно верно". Эта надпись еще сохраняет признаки текста – хотя бы потому, что мы можем перевести ее на иностранный язык. Но что она означает? Означает ли она вообще *что-либо*? Несомненно, что в устах Ленина она имела глубокий смысл. Вероятно, она означала, что для истины нет преград, – или что-нибудь в этом роде. Для огромного большинства москвичей, ежедневно видящих массивную волосатую голову, замаранную голубиным пометом, для бесчисленных прохожих, спешащих мимо по своим делам, занятых своими мыслями, погруженных в заботы о том, что спокон веков составляет реальную жизнь людей и чего не в силах отменить никакая революция, – для всех них эта гордая фраза не является ни истиной, ни ложью, ни обещанием, ни обманом. Ибо она вообще не является значащим текстом. Если бы какой-нибудь злоумышленник ночью ухитрился ее переделать, написав, к примеру: „Учение Маркса бессильно, потому что оно неверно", – большинство людей не заметило бы подлога, совершенно так же, как читатели „Медицинской газеты" не заметили, что на предложение почтить память усопших товарищей делегаты съезда ответили бурными аплодисментами. Ведь эти „бурные аплодисменты" – всего лишь декоративный элемент, нечто вроде виньетки. Равным образом надпись на камне представляет собой род орнамента: она нужна для того, чтобы было чем украсить камень. Камень же служит дополнением к памятнику. А памятник необходим, чтобы заполнить пустое место посреди площади. Принято, чтобы на площадях стояли памятники.

Это относится ко всем лозунгам, которых так много в любом советском городе, да и не только в городе. В сельских домах можно видеть, вместе с семейными фотографиями, с потемневшими иконами в углах, политические плакаты; их покупают в местном магазине, на деревенском языке они называются „картинами". Функциональное назначение этих картин, живописующих все те же турбины, колосья, кремлевскую башню или крейсер „Аврора", ничем не отличается от какого-нибудь венецианского вида, коврика с лебедями в мещанской квартире или экзотической культовой статуэтки в жилище сноба. Эти умершие кумиры, эти иконы забытых богов давно уже не означают никакой веры. Они вообще ничего не означают. Впрочем, это не совсем так: правильней будет сказать, что это *знаки знаков*, утративших значимость.

Учение всесильно, ибо оно верно. Удобство этой формулы – в том, что она как бы выносит за скобки самое учение. Не все ли равно, о чем говорится в этих толстых скучных томах, если заведомо известно, что их итог – не подлежащая сомнению истина? Не зря в многочисленных пропагандистских материалах собственное содержание учения заменено похвалами учению. Вывеска непогрешимости охраняет его от более тесных контактов, как уродливую женщину – ее добродетель. Но с таким же правом можно сказать, что учение Маркса верно, *потому что* оно всесильно: его абсолютный приоритет надежно оберегают государство, армия и тайная полиция. Полиция не находит оскорбительным для учения то, что его всесилие гарантировано всесилием полиции. Афоризм распадается, таким образом, на два тезиса. Учение верно, ибо оно верно. Учение всесильно, ибо оно всесильно. Гвардия идеологических работников, теоретиков и профессоров диалектического и исторического материализма, истории КПСС, „научного коммунизма", „научного атеизма" и пр. внушает своим слушателям и в конечном счете всему народу, что превосходство советского строя и неизбежность победы коммунизма во всем мире обеспечены абсолютной непогрешимостью марксизма, подобно тому как устойчивость валютной системы обеспечена запасом золота в стране. Мы, однако, знаем, что в последние века Византийской империи иностранцам показывали в царской сокровищнице дутые слитки золота и фальшивые драгоценные камни.

Осуществление утопии означает ее смерть. Бесполезно спорить о том, насколько удачно она осуществилась и не исказился ли марксизм в России. Ведь лучшим доказательством правоты теории было то, что она „овладела массами" – и страной, занимающей шестую часть земной суши. Лучшим подтверждением истинности веры было ее воплощение в жизнь; но оно-то, это воплощение, ее и погубило. Это был небесный Иерусалим, который растаял, как только воздвигся Иерусалим земной. Не логика „учения" и не соблазны утопии, от которой, как от Эвфориона, осталось одно одеяние, руководят действиями властей и приводят в движение машину, а логика власти, логика рутины, логика самосохранения и порядка.

В истории оппозиционного движения в СССР были попытки противопоставить советской действительности парадигму „подлинного марксизма" или даже „подлинно революционного марксизма-ленинизма", но, может быть, самой поучительной иллюстрацией к сказанному выше служит пример группы, издававшей подпольный журнал „Левый поворот" – и, как водится, дорого заплатившей за свои убеждения. Молодые люди изучали труды основателя советского государства (штудирование текстов Ленина в высших учебных заведениях практически заменено вызубриванием просветительных брошюр) и пришли к выводу, что правительство изменило ленинизму. Лет тридцать назад появление такого кружка было бы естественным. Двадцать лет назад к ним еще могли бы отнестись всерьез. Теперь же, в начале восьмидесятых годов, чиновники прокуратуры смотрели на этих ленинцев как на тронутых. Почти такой же была реакция родителей и друзей. И для друзей, и для карателей Ленин с его пятьюдесятью шестью томами сочинений был именно тем Лениным, который лежит в Мавзолее, – нарумяненным и набальзамированным трупом.

7. МАРКСИЗМ НА АРИЙСКИЙ ЛАД

Здесь, однако, требуется уточнение.

До сих пор, говоря о марксистко-ленинском учении, мы имели в виду теорию, сложившуюся к началу двадцатых годов; мы молчаливо ставили знак равенства между этим учением и советской идеологией. Это не совсем правильно. Учение представляет собой род philosophiae perennis* и в качестве таковой не подлежит усовершенствованию: оно и так со-

*вековечной философии (*лат.*); обычное наименование официальной доктрины римско-католической церкви.

вершенно. Тогда как идеология вынуждена меняться. Задача идеологии – приспособить „незыблемое" учение к нуждам момента, другими словами, оправдать и освятить политику партии ссылками на высшую санкцию единственно правильного учения. Нужно признать, что на протяжении десятилетий идеология блестяще справлялась с этой задачей. Чем больше она изменяла учению, тем настойчивей клялась в своей верности ему. Пожалуй, самый серьезный сдвиг произошел во второй половине тридцатых годов. Любопытно, что к этому времени коллективизация сельского хозяйства была уже позади: обвал, сопоставимый по своему масштабу и последствиям с революцией, – ликвидация крестьянства в крестьянской стране, – сам по себе не сопровождался существенной перестройкой партийной фразеологии. Некоторые оброненные вскользь замечания Ленина, мало интересовавшегося деревней, о социалистическом сельском хозяйстве удалось без труда перетолковать в том смысле, что колхозы – это и есть претворение в жизнь „ленинского кооперативного плана". Сдвиг идеологии произошел, когда режим достиг совершенства, а в Европе запахло второй мировой войной.

Именно в это время ортодоксальный „пролетарский интернационализм" был дополнен советским патриотизмом, а патриотизм начал быстро приобретать облик русского имперского национализма. Именно тогда был заново осознан основной факт революции – большевистская власть была единственной силой, сохранившей империю. Власть не может быть интернациональной, и с исчезновением последних надежд на мировую революцию национализм должен был дать этой власти новую санкцию, точнее, возвратить принадлежавшее ей по праву. Заодно он оправдывал расправу с врагами народа, собиравшимися – как было объявлено в годы чисток – распродавать Россию по частям иностранным империалистам, окружал лик вождя харизматическим нимбом, как бы непроизвольно напоминавшим царский венец, и выполнял множество других побочных задач. С этого времени заслуги советского режима в пробуждении и воспитании патриотических чувств народа, возвращении к национальным корням и т.п. превзошли все усилия ревнителей русской идеи за рубежом в лагере русской эмиграции, где на советскую власть смотрели чуть ли не как на власть инородцев. Прославление подвигов русского оружия, величия русского государства, приоритета русской науки, необычайных достоинств русского национального характера становится постоянной темой государственного искусства и литературы, и лучшие образцы этого искусства представляют собой художественные транскрипции двуликой марксистско-националистической идеологии, вроде того, как православная иконопись представляет собой не искусство в себе, а „богословие в красках и образах".

Быть может, самым ярким, незабываемым примером такой идеологической иконы был замечательный фильм Сергея Эйзенштейна „Александр Невский", гордость советской кинематографии, снятый в 1938 году, перед заключением договора о дружбе с Германией. В качестве сюжетной основы фильма был использован второстепенный эпизод из жития некогда канонизированного русской церковью новгородского князя Александра Невского – сражение княжеской дружины и ополчения с рыцарями Тевтонского ордена на льду Чудского озера ранней весной 1242 года. Картина стала памятником эпохи – разумеется, не той, которую она изображает.

Можно было бы до мельчайших подробностей, до ничтожных деталей пейзажа, жестов второстепенных лиц и складок одежды, до последнего такта великолепной музыки Прокофьева проследить, каким образом слово и буква идеологии нашли свое воплощение в этом фильме. Перед нами нечто в своем роде совершенное, шедевр политической низости; как во всяком шедевре, в нем нет ничего лишнего и случайного. Фильм, получивший всенародное признание, напоминает произведения немецкой кинематографии и литературы времен национал-социализма, но в русском варианте. Князь выглядит славянским арийцем. Он снят так, что всегда кажется выше всех остальных и выше зрителя. Его язык представляет собой смесь архаически-народного слога с языком газеты. Он враг богачей, друг, учитель и вождь беззаветно преданного ему народа и, судя по всему, атеист. В Новгороде тринадцатого века вообще нет никаких следов христианства, если не считать колокольного звона, который, однако, созывает людей не в храмы, а на городскую площадь, где князь выступает с речью, в которой клеймит врагов народа и изменников родины (процессы 1937-38 гг.). Изменниками оказываются эксплуататоры народа – богатые купцы. Совмещение двух систем координат совершается легко и просто: классовый враг есть не кто иной, как враг национальный. Каждый народ воображением своих художников создает собственный идеальный портрет; ему противостоит отталкивающий портрет чужака. В отличие от обаятельных, душевно щедрых и свободомыслящих новгородцев, немцы преувеличенно богомольны. Они высокомерны, жестоки, коварны, трусливы и ненавидят русский народ. В фильме с изумительным искусством обыгрываются простейшие символы и элементарные семиотические приемы, и некоторые его кадры могли бы украсить любое популярное введение в аналитическую психологию, хотя едва ли сценарист и постановщик слышали о Юнге и архетипах. Контрасты белого и черного, теплых грудных голосов русских женщин, поющих величественно-задушевную песню о родном крае, и мрачной дисгармонической мелодии рыцарского рога, лик Солнца на княжеском стяге и страшный, могильный латинский крест, вознесенный над коленопреклоненными немцами, над снежной пустыней, движение орденского войска, мертвого механического Запада, который замыслил поработить Русь и сломает себе на этом шею, – все сходится на одном, соединяется в единый вектор, бьет в одну цель.

Во всех советских кинотеатрах посетитель видит вывешенное на видном месте изречение Ленина: „Из всех искусств для нас самое важное – кино..." Фраза, заимствованная из переписки вождя с наркомом просвещения Луначарским, на этом обрывается, и мало кому известно ее продолжение: „...ибо народ наш малограмотен". Любопытная параллель к словам византийского отца церкви Григория Богослова: "Idcirco enim pictura in ecclesiis adhibetur, ut hi qui litteras nesciunt saltem in parietibus legant quae legere in codicibus non valent".* Из всех достижений наглядной идеологии „Александр Невский" был, по крайней мере в предвоенную эпоху, самым выдающимся.

Соединение марксизма-ленинизма с русским патриотизмом на короткое время оживило издыхающее „учение", но спасти его оно все же не могло. В годы войны марксистская фразеология была попросту отменена, а восстановленная, уже иначе как фразеология не воспринималась. Последнюю попытку реанимировать коммунистическую веру предпринял Хрущев, для которого архаические формулы двадцатых годов, по-видимому, еще что-то значили; при нем развенчанному Сталину усиленно противопоставлялся Ленин, снова, как на съезде комсомола в 1920 году, было объявлено, что общество будущего будет построено в самом недалеком будущем – через каких-нибудь двадцать лет. „Партия торжественно провозглашает: нынешнее поколение советских людей будет жить при коммунизме!" Нынешнее поколение помнит, как эта фраза – ею заканчивалась новая программа партии, обнародованная летом 1961 года, – красовалась на первых полосах газет, на обложках журналов, на фронтонах общественных зданий, в театрах, в парикмахерских, на дорожных щитах. Несколько лет печать и литература были заняты тем, что отыскивали вокруг себя „зримые черты коммунизма". Сейчас, ког-

* „Ибо ради того вывешивается картина в храмах, чтобы те, кто не знают грамоте, читали по крайней мере на стенах о том, чего не дано им прочесть в книгах" (*лат.*).

да поколение, которому предстояло вскарабкаться на сияющие вершины, сходит со сцены, не приблизившись к ним ни на дюйм, идеология стоит перед новой и труднейшей задачей: как согласовать истину марксизма с фактом, который невозможно скрыть, – экономической инвалидностью системы. Несомненно, что идеология найдет выход (об экономике этого сказать с уверенностью нельзя). Будут придуманы какие-нибудь новые формулы. Но это уже неинтересно, ибо утопия разложилась, и вера мертва.

8. МОРЕ – ЭТО Я

Мы вернулись к началу. Вид нищих изб, заросшие бурьяном поля, грязная дорога – что это: тупик, символ завершившегося пути? Правда ли, что, надорвавшись в бесплодных усилиях, гигант впал в оцепенение и во сне копит энергию для нового отчаянного прыжка? Два факта русской действительности поражают наблюдателя. Он видит, прежде всего, что в этой стране всего очень много – земли, лесов, степей, очень много народу; если она выглядит нищей, то очевидно все-таки, что эта нищета сочетается с богатством и расточительностью. Он видит огромные, переполненные людьми города, промышленные предприятия, гидроэлектростанции, перегородившие широчайшие реки; стоя у окна вагона, он видит идущие навстречу товарные составы, груженые лесом, углем, нефтью, – считает вагоны, платформы, цистерны и не может сосчитать. Он видит сложнейшую административную структуру, фантастическую бюрократию, замечает признаки милитаризации, размах которой трудно представим для западного человека, и мысленно сопоставляет ее с чрезвычайно успешной внешнеполитической экспансией страны. Короче говоря, он видит чрезвычайно мощное государство. Но одновременно, – и это второй факт, непонятным образом сосуществующий с первым, – приглядевшись, он обнаруживает всеобщую апатию. Подлинный энтузиазм и предприимчивость эти толпы проявляют лишь в государственных магазинах, где невозможно протолкнуться из-за очередей. Прочее делается кое-как. Наблюдателя поражает унылость этого величия и контраст между мажорным тоном газет и параличом общества. Говорить с людьми начистоту трудно, добиться от них чего-либо, кроме заученных фраз, почти невозможно: эти люди, казалось бы, такие простые и открытые, непроницаемы для чужеземца, широкие лица и светлые глаза – не впускают в себя. В этой стране все как будто сговорились говорить неправду, только неправду, ничего, кроме неправды. Остается наблюдать, сравнивать и... воздерживаться от скоропалительных выводов.

Одно, впрочем, ясно. Тридцать лет назад можно было думать, что сталинский террор подавил активность масс; сейчас становится очевидным, что принудительный труд был подлинной основой экономического роста: освободившись от страха, неблагодарное население вовсе утратило желание работать. Не нужно особой зоркости, чтобы заметить, что значительная часть общественной работы делается впустую – машина работает на холостом ходу.

По улицам городов несутся с грохотом пустые грузовики; словно в описанном у Гоголя поместье полковника Кошкарева, который решил перестроить свое хозяйство на европейский лад, повсюду видны следы какой-то застопорившейся деятельности, недостроенные сооружения, занесенные снегом, груды кое-как сваленного разбитого кирпича, разрытая земля; трудящиеся, покуривая, дожидаются конца рабочего дня. В государстве, где уклонение от общественно полезного труда преследуется в уголовном порядке, огромное множество работников только числится на работе, и анекдотические меры, принимаемые властями для восстановления трудовой дисциплины, – лишь свидетельство того, что бедствие приняло национальные масштабы.

И невольно спрашиваешь себя, есть ли еще что-нибудь, что духовно и морально объединяет этот народ. Какая вера склеивает массы после того, как государственная мифология разложилась и доживает свой век в анекдотах, под сенью съеденных молью знамен?

Мы ступаем на зыбкую почву. Дело не только в том, что вопросы такого рода внутри страны не обсуждаются и даже не ставятся, что там нет средств и способов изучения общественного мнения, как не существует и самого общественного мнения. Неизвестно, как вообще взяться за эту тему. Неясно, как сформулировать вопрос. Нет уверенности в том, что его вообще можно „формулировать". На него могла бы ответить художественная литература, по крайней мере та ее часть, которая заслуживает доверия. Но ее ответ, как ответ дельфийской пифии, уклончив и загадочен.

Индуистская притча о соляной кукле могла бы служить иллюстрацией загадочности самого „предмета".

Кукла, высеченная из соли, шла по дороге и пришла к берегу моря. Она никогда не видела моря и спросила: что это такое? Море ответило: „Подойди ближе, и узнаешь". Кукла приблизилась, окунула палец в воду и сейчас же отдернула руку: пальца не было. „Ты отняло у меня палец!" – воскликнула она. „Но зато, – был ответ, – ты узнала кое-что". Кукла входила все дальше в воду, волны смывали с нее кристаллики соли, и, когда она, наконец, растворилась до конца, она сказал: „Теперь я знаю. Море – это я".

Нужно погрузиться в эту стихию, называемую Россией, растворив в ней собственную личность, чтобы понять, что вопрос, чем она живет и на чем стоит, не имеет рационального ответа. Ибо мы не спрашиваем себя, чем объясняется тот странный факт, что мы все еще живем. Мы живем, – этого достаточно.

9. НЕ СУДИТЕ, ДА НЕ СУДИМЫ БУДЕТЕ

На поверхности лежит нечто более или менее очевидное: взаимоотношения рядовых людей с государством. Отношения эти можно сравнить с ситуацией подростка в семье, где его не любят. Он знает, что всем обязан своему отцу, больше того, он считает естественным, что отец содержит его. Но это черствый, злой и несправедливый отец, – деспот, требующий покорности и на каждом шагу унижающий достоинство своих детей. И сын испытывает к нему противоречивые чувства: тайную ненависть, страх и преданность. Самая жестокость этого властелина импонирует подростку как признак могущества. Противопоставить ей он может лишь хитрость. Лишенный права что-либо решать, он заискивает перед своим благодетелем, изворачивается, лицемерит, лжет и где только можно обманывает его.

Поэтому можно сказать, что сын достоин такого отца, а отец заслужил такого сына. О тоталитарном режиме обычно говорят, что он превращает всех граждан в своих сообщников; таким образом ему удается сделать всех более или менее виновными в его преступлениях. О советском строе можно сказать, что он превратил своих граждан в иждивенцев. При этом оказывается, что иждивенцы – все: виновные и невиновные, начальники и подчиненные, те, кто сидят в государственной колеснице, те, кто пассивно влекутся за ней в пыли, и даже те, кто упирается, отказываясь тащиться вместе со всеми.

Все это придает государству мистические потусторонние черты, однако этот призрак всегда с вами. Подобно Всевышнему, говорящему устами своих служителей, он везде, хотя его нигде не видно. Он недостижим и всесилен, все обязаны ему всем. Лозунги „спасибо нашему родному правительству", „спасибо партии", развешанные везде, песенки празднично одетых малышей „о детстве счастливом, что дали нам", риторические упражнения на тему „я – ничто, Родина – все" и т.п. не вполне лишены смысла: государство – это прежде всего великий благодетель. Государство в самом деле, а не на словах, кормит, поит и одевает своих подданных, тратит деньги на их обучение, вообще милостиво разрешает им жить, – и, разумеется, беспощадно третирует их. В этой стране, где каждый находится в неоплатном долгу перед родиной, то есть перед государством, люди беспомощны, как подростки. Их инициатива носит хаотически-инфантильный и подпольный характер и всегда направлена против государства; естественно, что она карается. „Дать по рукам" – ходовое выражение газетной публицистики. Дать по рукам всякому, кто обманывает государство – пытается заняться независимой деятельностью, наладить собственный промысел. Это не значит, что в войне Левиафана с маленьким человеком побеждает всегда Левиафан. Нигде искусство водить за нос государство не достигает такой виртуозности, как именно в обществе, где государство владеет всем и управляет всеми; существует даже точка зрения (ее разделяют, по-видимому, и руководители), что воровство и нелегальные заработки – главная причина экономического упадка. Но что верно, то верно: огромное большинство населения отучено от самостоятельности, лишено сознания общих интересов, инстинкта солидарности, и не знало бы, что ему делать со свободой, если бы свобода вдруг свалилась на него с небес.

Перечитывая написанное, я нахожусь в некоторой растерянности. Я чувствую, что моим рассуждениям не хватает чего-то, что невозможно ни вычитать в книгах, ни извлечь непосредственно из жизненного опыта. Я не могу свести концы с концами. Все начинает рушиться, когда пытаешься связать „самый передовой в мире общественный строй" с той непостижимой действительностью, которая стоит перед глазами, но остается неуловимой, словно вода, в которую вы входите: ее не схватишь руками, она протекает между пальцами; она расступается и впускает вас, чтобы тотчас сомкнуться у вас за спиной. Привычные представления о власти, народе, демократии, социальной справедливости, об угнетателях и угнетенных, о верхе и низе кажутся непригодными в этом царстве слуг, театре статистов, где, как в романе Набокова, тюремщик танцует вальс с узником, где деспот оказывается рабом.

Нет необходимости штудировать классиков Франкфуртской школы, чтобы понять разницу между деспотией и тоталитаризмом, мало сказать, что они отличаются друг от друга, – они исключают друг друга. Деспотизм „аристократичен". Тоталитаризм „народен". Деспотизм предполагает дистанцию между угнетателями и угнетенными. Подобно грани, отделяющей население оккупированной страны от завоевателей, в деспотическом государстве сохраняется граница между насилием и теми, кто стал его жертвой. Поэтому деспотизм не лишает идею социальной справедливости ее престижа. Деспотизм есть то, что известно нам в классических образцах из „классической" истории. Понимание его сущности – урок, преподанный нам великими летописцами прошлого. Деспотизм включает в себя в неявной форме идею восстания. Только в деспотической стране может произойти революция.

Тоталитаризм смеется над историей. Понять, что представляет собой тоталитарный порядок, перелистывая Фукидида и Тацита, невозможно. Тоталитаризм представляет собой такое торжество прогресса, которое делает ненужной дальнейшую эволюцию общества: история в собственном смысле прекращена, совершенствоваться может лишь техника и бюрократия. Тоталитаризм есть нечто находящееся по ту сторону и демократии, и деспотизма. Тоталитаризм исключает всякую мысль о восстании и дезавуирует идею свободы.

10. НЕЧТО О ПАТРИОТИЗМЕ

„Вы ненавидите Россию".

Вы ненавидите ее, ибо утверждаете – или даете понять, – что существующий режим есть порождение русской истории, помноженной на национальный характер, что „всякий народ достоин своего правительства", что, следовательно, он *заслужил* то, что с ним сделали.

В книгах и речах, которые пишутся и произносятся от имени антикоммунистической, христианской и национальной России, нам разъясняют, что русский народ подпал под иго коммунистов. Эту фразу нам предлагают понимать буквально. Предполагается, что некая чуждая России власть поработила страну, подобно иностранному завоевателю. Задача о мировом зле решается просто: или – или. Или коммунизм, или Россия. Или советский, или русский.

Но *мы* приехали оттуда, мы только что из этой страны, подарившей миру слово „советский"; мы еще помним ее запахи, вкус ее хлеба, синюю кромку леса на дальнем горизонте, дожди, чмоканье луж и сосущую сердце дорогу. Мы еще не оклемались на благоустроенном Западе, и для нас точкой отсчета остается жизнь, прожитая в Советской России; так что само это словосочетание, этот оксюморон, оскорбляющий ухо истинного патриота, для нас звучит естественно. Мы еще не забыли русский язык, не те кудрявые словеса, вычитанные из Даля, а ржавый, царапающий уши и горло язык, на котором изъясняется советский народ. Язык газет, язык подворотен, язык бюрократии и уголовного мира, язык, в который ушли, как в трясину, десять веков русской литературы и который точно позавчера явился на свет; язык людей, о которых трудно сказать, кто они: ни рабочие, ни крестьяне, ни интеллигенция, ни народ – ни то, ни се. Я припоминаю соотечественников. Кто они: русские, советские? В том-то и несчастье, что тоталитарная бюрократия пропитывает все тело страны, стремится уничтожить грань между собой и народом, „народ и партия едины", и при этом оказывается, что и партия – давно уже не партия в обычном смысле слова, и народ – не народ; тоталитарная действительность обесценивает патриотическую идею и лишает смысла самую терминологию, которой оперирует русский национализм.

Хуже всего то, что тоталитаризм дезавуирует идею вины. Легко заметить закономерность, с которой этот режим плодит преступников, точнее, порождает преступный тип человека: так „ночь разума плодит чудовищ". Но это человек, с которого нечего взять, государство лишило его ответственности. Тем самым оно размыло понятие о преступлении как о некотором исключении из общего правила. Напротив, совесть и честь становятся в этой стране странным исключением, если не социальной патологией, и государство по-своему право, заключая инакомыслящих в психиатрические больницы. Провозгласив общественный труд почетной обязанностью всех граждан, оно превратило его в позор и проклятье. Учредив тотальный надзор над людьми, оно лишило общество последних остатков солидарности и уничтожило самое общество. Объявив родину высшей ценностью, оно превратило ее в тюрьму, в гигантское подобие лагеря, окруженного сторожевыми вышками и рядами колючей проволоки. Объявив себя надеждой и светочем мира, оно вооружилось до зубов и убедило свой народ, что так оно и должно быть. В конце концов, верный своей сущности, тоталитаризм сам сделался обществом, родиной и государством. Провести границу между этими понятиями было бы крайне трудно. Число людей, умерщвленных этим режимом, не подсчитано; во всяком случае оно очень велико. Каково же должно быть число убийц?

В этой стране было несколько десятков миллионов заключенных, и каждый угодил в лагерь по доносу. Сколько же в ней было доносчиков?

Очевидец рассказывает о бунте арестантов на барже в Охотском море: охрана залила трюмы, где сидели в полутьме и тесноте заключенные, водой из пожарных шлангов. Вода замерзла, и вмерзших до пояса, но все еще живых людей вырубали из льда.

Как бы ни был страшен этот эпизод, он был каплей в море страданий и жестокости. Но если представить себе, что каратели и жертвы поменялись бы местами, можно ли быть уверенным, что приказ пустить в ход брандспойты не был бы отдан, что он не был бы выполнен? Если представить себе некоторое высшее и беспристрастное судилище, – кого мы посадим на скамью подсудимых? Какой суд был бы в состоянии распутать этот клубок, какая юстиция не спасовала бы перед ситуацией, в которой презумпция невиновности перестает быть условием правосудия, ибо преступность, соучастие в злодеянии – здесь не отклонение, а норма? Какая „комиссия по десоветизации" была бы способна отделить агнцев от козлищ?

Тоталитаризм снимает вопрос о вине. Показав, на что он способен, – а его возможности поистине безграничны, ведь он является государством в квадрате, – он стремится сделать своими сотрапезниками всех и добивается этого, заставляя всех служить себе. В конечном счете он превращается в образ жизни. В тоталитарном государстве граница между „властью" и „народом" отсутствует – либо нам придется искать ее в каждом доме, в каждой семье, в каждой биографии.

11. ПОХВАЛЬНОЕ СЛОВО ПАСТЫРЯМ

И все же мы не разгадали бы загадку этого государства, если бы видели в нем лишь особую форму всепроникающего насилия. Мы повторили бы заблуждение многих, если бы ограничились утверждением, что режим – по крайней мере в его нынешнем, послесталинском виде – держится на всеобщем страхе. Этот вопрос – на чем „держится" режим – и есть в сущности тот самый, уже заданный выше вопрос: что объединяет, что сплачивает советский народ? Здесь следовало бы оговориться, что народ этот, если говорить о всем населении страны, этнически неоднороден. Ясно, однако, что силы межнационального раздора, конфликт насильственной или естественной русификации с местным национализмом, старые счеты, взаимное непонимание и глухая вражда – все еще сдерживаются силой, заставляющей всех держаться вместе: эта сила – единое государство, нечто такое, перед чем бледнеют национальные чувства. В чем же секрет этой силы?

Пишущий эти строки не является профессиональным советологом и не располагает „теорией" советского строя. Подобно астрономии, советология основана на эффекте расстояния. Невозможно стать советологом, прожив всю жизнь в СССР. И я совершенно согласен, что при взгляде в телескоп эта диковинная планета доступна лучшему обозрению, чем когда сидишь на ее безрадостных берегах. Что касается теории, то я склонен подозревать, что никакая теория не в состоянии описать русскую жизнь. Мне хотелось бы только предостеречь от упрощений. Опыт нашего века говорит нам, что ложь, страх и насилие, когда они пользуются современными средствами массовой индоктринации и новейшими методами подавления, способны творить чудеса. Но трудно предположить, что мощь и единство Советского Союза всецело основаны на лжи, страхе и подавлении.

„Самые лучшие правители, – говорится в Книге Дао дэ-цзин, – те, о которых народ знает лишь, что они существуют. Несколько хуже правители, которых народ любит. И хуже всех правители, которых народ презирает". Народ в России слишком хорошо знает о существовании правителей. Нечего и говорить о том, что он их не любит. Нет сомнения в том, что он их презирает. Через семь десятилетий после революции люди отдают себе отчет в ее неудаче. Они знают, что они живут хуже, чем граждане других более или менее развитых стран, много хуже, чем можно было бы жить в стране столь обширной и богатой; понимают, что новая власть не создала гарантий свободы, не ликвидировала социальное неравенство и не устранила социальную несправедливость. Но они понимают и другое. Инстинкт, в некотором смысле обратный социальному, подсказывает им, что без этого государства они не смогли бы ступить и шагу, рухни оно – и все они превратятся в толпу беспомощных потерявшихся детей.

Так выясняется подспудный резон безнадежного статус-кво, цель и смысл бессмысленного порядка: ибо он не вполне бессмыслен. Сознание этого смысла гарантирует прочность порядка, быть может, надежней, чем бюрократия, армия и тайная полиция. Существовали и, кажется, существуют до сих пор иллюзии, что этот порядок можно улучшить – смягчить или рационализировать, не меняя его по существу: технократические, экономические или правозащитно-демократические грезы. Существовала теория о том, что усвоение западной технологии заставит рано или поздно перестроить весь экономический, а за ним и политический механизм.

Еще не угасла, по крайней мере на Западе, надежда на то, что в одно прекрасное утро на вершине появится доброжелательный и прагматичный человек в костюме современного покроя. Он ограничит тотальное планирование, даст свободу действий директорам промышленных предприятий, предоставит самостоятельность колхозам, восстановит местное самоуправление, умерит власть цензуры, усмирит КГБ, отменит преследования интеллигентов, верующих, националистов, разрешит свободный культурный обмен с другими странами и договорится с Америкой о разоружении. Незачем говорить о том, что система отбора и выдвижения руководителей в партии исключает появление реформатора; личности подобного склада элиминируются уже на низших ступенях иерархии. Это тот самый порядок, который охраняет партию от распада. Но это лишь частный случай общего правила. Ибо суть общегосударственного порядка та же самая: она состоит в том, что этот порядок невозможно реформировать. Даже незначительные усовершенствования опасны. Потяните за ниточку – зашатаются колонны. Выньте один кирпичик – только для того, чтобы заменить его другим, – и повалится все здание. Порядок есть порядок: или он такой, какой есть, или никакой.

Оттого попытки интеллигентов поставить под сомнение безусловный приоритет государства во всех вопросах не вызывают у массы ни малейших симпатий. Оттого „народ" равнодушен к судьбе Сахарова: дело не только в том, что никто ничего сделать не может, дело еще в том, что людям сумели внушить, что ссыльный академик посягнул на государственные устои, и в известном смысле так оно и есть. Проповедь Сахарова была заведомо обречена на неудачу. В конечном счете государство всегда право; ибо если оно и неправо, несправедливо, неразумно, – его следует предпочесть вакууму. Оттого всякое посягательство на государство извне, даже мнимое, встречает единодушный отпор. (Гибель корейского самолета с 264-я пассажирами на борту не вызвала возмущения: пропаганде достаточно было убедить граждан, что самолет летел с шпионским заданием.) Охраняя порядок, лучше переборщить, чем чего-нибудь недоглядеть. И... ради Бога, обойдемся без рискованных экспериментов. Порядок есть порядок. В многонациональной стране он не дает вскипеть кровавой каше, в которую превратилось бы освободительное движение окраин, стоит только ослабнуть скрепам; в сверхцентрализованном государстве надлом столба, на котором держится вся исполинская пирамида, будет означать для огромного множества людей потерю всех средств к существованию, голод, развал, разгул на безбрежных осиротевших территориях. Крушение такого государства нарушит геополитическое равновесие. Но не мировые проблемы заботят миллионы людей: они повинуются собственному чутью, темному инстинкту всенародного самосохранения. И вместе с тем они чувствуют, все мы чувствуем, чуем, как чуют близость гнилостной весны, как чувствуют приближение смерти, – безнадежную старость всего национально-государственного организма. Эта старость, возможно, и есть не что иное, как подбирающийся к опасной границе, копящийся в неведомых глубинах, в недрах коллективного бессознательного, смертоносный анархически-утопический потенциал.

Тот, кто жил в России, мог заметить черту, характерную для многих живущих там. Ее часто описывали как антибуржуазность и широту характера, желая увидеть в ней противовес мещанской умеренности немцев, скаредности французов, бескрылому практицизму англичан; какова бы ни была мера правоты этих противопоставлений, описание, основанное на них, недостаточно. Черта эта неотделима от внешних условий жизни в стране. Она подкупает и пугает одновременно. Иногда вы можете уловить в выражении глаз какую-то сумасшедшую искру; это она. Я назвал бы ее душевной неупорядоченностью. Сочетание душевной, а также духовной и интеллектуальной недисциплинированности с жесткой регламентацией общественной жизни, внутренняя растрепанность, душевный хаос человека, прикованного, как пленный раб к железной колеснице, к сверхорганизованному государству, – заставляет его ощущать присутствие этого государства и как тяжкую обузу, и как единственный гарант своего благополучия. Подлинная трагедия состоит в том, что в этой стране, где все живое, смелое и самобытное душит неподвижная власть, где бездарные наставляют талантливых, старики притесняют молодых, мертвые правят живыми, – в этой стране слишком многим кажется, что такая власть необходима, так как она не дает вырваться наружу хаосу, царящему в душах. Что такое этот хаос, знает по опыту жизни каждый. Ужас перед народом – чувство, присущее не только верхушке, но прежде всего самому народу.

12. СКВОЗЬ ТЕРНИИ И ВЕКА

Старость? Срок жизни великих культур, по Шпенглеру, предопределен: десять столетий. По странному совпадению, ту же цифру назвал (в книге „Восток, Россия и славянство", 1885) упомянутый в начале этих заметок Леонтьев. Но он говорит о возрасте великих государств. Тысячу лет просуществовали оба Рима, западный и восточный. „Третий Рим" – северный – переступил порог своего тысячелетия в прошлом веке. К этому времени и была приурочена мрачная астрология Леонтьева, который, правда, согласился подарить русскому царству одно-два столетия при условии соблюдения сурового температурного режима. „Россию нужно подморозить, чтобы она не гнила". Подразумевалась сильная централизованная власть, византийская государственность, подпираемая аскетически-бескомпромиссным, сумрачным православием.

История порождает неодолимое искушение, напоминающее третье искушение Христа: поднявшись над ней, окинуть ее всю единым взглядом. Окидывая взглядом одиннадцать веков русского государства, отчетливо различаешь пронизывающий ее, сквозь чередующиеся пятна тьмы и света, вектор, улавливаешь некую логику. Уже к концу первого тысячелетия нашей эры на равнине между Черным и Белым морями возникает могущественная Киевская Русь, первый проект многоплеменного централизованного государства. Погибшее от нашествия татар, оно возрождается в зернышке, в затерянном среди лесов крошечном Московском княжестве, которое вначале ничем не отличается от своих соседей, рабски угождающих хану, но незаметно набирает силу, упорством, мужеством, коварством своих властителей захватывает и поглощает соседние земли, нередко более обширные и богатые, чем оно, чтобы к исходу пятнадцатого столетия окончательно сбросить татаро-монгольское иго и превратиться в самодержавное царство.

Осенью 1472 года великий князь Иван Третий венчается в Москве вторым браком с греческой царевной: это звездный час государства. Оно объявляет себя преемником угасшей Византии, берет ее герб, перенимает ее имперский блеск и деспотические традиции. Ученый монах, старец Филофей – личность, о которой мало что известно, но которая стала в наши дни необыкновенно популярной, – пишет в Москву о том, что Бог простер свою длань над северным царством: два Рима пали, третий есть Москва, а четвертому не бывать. При этом Священная Римская империя германской нации, как заблудившаяся в ложной вере, вовсе не принимается во внимание. Вскоре оказывается, что в возродившемся православном Риме сосредоточена огромная энергия внешней экспансии: на протяжении последующих двух столетий государство раздвигает свои пределы, словно разжимающаяся стальная пружина. Когда в начале восемнадцатого века Петр Первый, разгромив в двадцатилетней борьбе с Швецией самую боеспособную армию тогдашней Европы, принял титул российского императора, это вызвало насмешки и недовольство на Западе: корону такого калибра полагалось получать из рук папы; тем не менее Россия давно уже была не только „Великой, и Белой, и Малой", согласно титулатуре московских царей, но действительно представляла собой политический организм имперского типа – конгломерат племен, рас и народов, которыми правит, не спрашивая их мнения и согласия, верховная рука.

Четырежды на протяжении тысячелетия, с какой-то зловещей периодичностью, государство оказывается на краю гибели. В тринадцатом веке его затопляют полчища татар. Князья погибают мученической смертью, деревянные города исчезают в огне, гибнет культура. Однако феникс воскресает. В начале семнадцатого столетия, после десятилетий изуверского правления Ивана Четвертого, Москву захватывают поляки. Итогом этой поры, называемой в русской историографии Смутным временем, было опустошение целых областей, население которых вымерло или разбежалось. Но колосс и на сей раз встает на ноги. Спустя двести лет – новое нашествие и пожар столицы; и русский, и западный читатель хорошо представляет себе эту пору по роману Толстого. Наконец, в двадцатом веке наступает последняя и, как кажется, окончательная катастрофа.

Можно составить длинный список причин, которые ее, по-видимому, вызвали, и привести достаточное количество доводов, убеждающих в том, что эта страна в самом деле больше не могла существовать; но, как это бывает в медицине, необходимость многих объяснений означает, что первопричина недуга неизвестна. Впрочем, ничто в истории не совершается под действием одной определенной причины. Каждая из причин выглядит скорее поводом.

Как бы то ни было, стремительность этого последнего крушения и сегодня не перестает пугать, изумлять и озадачивать. Государство, занимающее половину Европы и треть Азии, с числом подданных, которое составляло перед революцией сто семьдесят миллионов и росло так быстро, что должно было по меньшей мере удвоиться к середине века, – внезапно проваливается в тартарары. Можно было бы привести немало выразительных цитат, характеризующих смятение чувств – буйную радость, скорбь, мистический ужас, – которое вызвал у современников этот coup de théâtre* тысячелетней истории; ограничусь двумя – из неоконченной книги Василия Розанова „Апокалипсис нашего времени" (1918):

„Русь слиняла в два дня. Самое большее – в три... Поразительно, что она разом рассыпалась вся, до подробностей, до частностей. И, собственно, подобного потрясения никогда не бывало, не исключая Великого переселения народов... Не осталось Царства, не осталось Церкви, не осталось войска. Что же осталось-то? Странным образом – буквально ничего".

„С лязгом, скрипом, визгом опускается над Русскою Историею железный занавес.

– Представление окончилось.

Публика встала.

– Пора одевать шубы и возвращаться домой.

Оглянулись.

Но ни шуб, ни домов не оказалось".

* неожиданный исход, развязка (*франц.*).

Когда занавес поднялся, – это произошло очень скоро, – на сцене стояли уже другие декорации и сидели другие актеры. Новый режим не просто переменил название страны. Он провозгласил себя принципиально новым, небывалым государством. И что же? По прошествии нескольких десятилетий мы замечаем, как это государство, в самом деле новое и небывалое, начинает все больше походить на старое. Можно даже сказать, что все особенности старого государственного организма новый режим усилил и довел до немыслимой крайности, до логического завершения или – что в данном случае одно и то же – до абсурда.

Вот это и есть самое удивительное. Итог одиннадцати веков. Удивляет даже не то, что традиции царской государственности, казалось бы, обрубленные, возродились, – ведь в конце концов понятие „почвы", любимое слово Достоевского, имеет какой-то смысл. Удивительно, что это государство все еще существует.

Я отдаю себе отчет в том, что коснулся рискованной темы. Напоминание о сходстве, может быть, и утешает приверженцев полулегального русского национализма в партийно-административной среде; но оно приводит в ярость идеологов национализма в антисоветском лагере, тех, кто считает себя подлинными патриотами. И ведь нельзя сказать, что они абсолютно неправы. Слишком многое заставляет в сегодняшней России вспоминать об ушедшей России с ностальгической нежностью. Посмотришь на полудетские лица великих княжен, царских дочерей, убитых осенью 1918 года в Екатеринбурге на Урале, в подвале старого дома, и кажется, что на тебя глядит сама голубиная невинность. Достаточно сравнить новый репрессивный аппарат со старым, КГБ с царской охранкой, прежнюю цензуру с нынешней, вспомнить о существовании партии, идеологии и т.п., чтобы оценить разницу, о которой мы уже говорили, – контраст между тоталитарным и авторитарным строем.

Времена менялись, и эпоха Николая Первого не то же самое, что эпоха Николая Второго. Но ни одному из русских самодержцев не снился культ, которым окружил себя Сталин – маленький человек с низким лбом, искусственно увеличенным на фотографиях, с лицом, на котором ловкий ретушер удалил следы оспы.

Вышедший в начале века роман Максима Горького „Мать", посвященный революционному движению и очень понравившийся Ленину, заканчивается сценой суда над рабочим-большевиком Власовым, руководителем подпольного кружка и организатором первомайской демонстрации: герой романа произносит перед царскими судьями страстную и мятежную речь. „Мы стоим против общества, – говорит он, – интересы которого вам приказано защищать, как непримиримые враги его и ваши, и примирение между нами невозможно... Победим мы, рабочие! Все, что делаете вы, преступно..." – и т.д. на трех страницах.

Эта сцена никогда не перестанет вызывать недоумение у советского читателя: ведь в наши дни невозможно представить себе ничего подобного этому суду. Точно так же, как невозможно вообразить в Советском Союзе уличную демонстрацию с флагами, пение песен, сочувствие толпы и растерянность жандармов. Одного лишь проекта такого выступления было бы достаточно, чтобы потенциальный смутьян исчез мгновенно и бесследно, точно провалившись в люк. „Мать" включена в школьную программу, школяры зазубривают речь Власова наизусть, наравне со стихами Пушкина и отрывком о тройке из гоголевских „Мертвых душ"; книга Горького считается классическим произведением социалистического реализма и образцом для подражания. Но можно ли представить себе советского писателя, который в самом деле последовал бы этому примеру и сочинил что-нибудь похожее? Сам автор в свое время поплатился за участие в организации подпольной типографии кратковременной ссылкой в городок Арзамас, поблизости от своего родного города, ныне носящего его имя. Молодой Ленин создал в Петербурге „Союз борьбы за освобождение рабочего класса". Он был арестован и в тюремной камере написал несколько крупных работ. История кончилась тем, что вождь пролетариата был выслан на три года в сибирскую деревню, где он жил вместе с женой в просторной избе, писал книги и ходил на охоту. Эти героические эпизоды революционной борьбы у человека, живущего в СССР, могут вызвать только улыбку.

Но мы подразумеваем скорее структурный тип государства, нежели то, что можно было бы назвать его политическим „содержанием". Ленин, по словам немецкого историка Себастьяна Гафнера („В тени истории", 1985), доказал две вещи: что революция может победить и что ее победа ничего не меняет. Укрывшийся от палящих лучей истории скептик находит, что Ленин стал жертвой реальной политики; ибо то, что создается руками реального политика, всегда несовершенно. Тем не менее революция кое-что меняет. Революция меняет многое, – в этом, по крайней мере, не сомневаются те, кто видит ее вблизи. Революция есть надлом истории. Со временем, однако, переломы срастаются. Вернее было бы сказать, что Ленин, который испытал к концу жизни некоторые разочарования, но умер все-таки в убеждении, что им создано поистине новое и в конечном счете самое справедливое государство, стал жертвой невидимого и всесильного чудовища, имя которому – русская история. Ибо о ней, как о всесильной природе, можно сказать: expellas furca, tamen usque recurret! Гони ее в дверь, она вернется через окошко. Можно было прогнать помещиков и капиталистов. Можно было убить незадачливого монарха и его семью. Можно было одолеть Белую армию. Можно было справиться со всеми врагами революции, внешними и внутренними, одолеть хаос, голод, разруху. Но одолеть русскую историю оказалось невозможным. Сапожок, говорит пословица, сносится по ноге. Сносился в конце концов и чугунный сапог революционной власти.

13. ТРЕТИЙ РИМ

Привстанем на цыпочки и поглядим на Восток, на далекую равнину, залитую мертвенно-серебристым светом, точно лунный пейзаж. Огромное лунное царство, – ведь его размеры в самом деле сопоставимы с поверхностью Луны, -- хоть и не довело численность своих подданных до уровня, которого ждали, однако приблизилось к тремстам миллионам. Как встарь, это пестрая смесь племен. Их во много раз больше, чем щитов на крыльях государственного орла, которому в Семнадцатом году отрубили обе головы, больше, чем гербов союзных республик в вестибюле Кремлевского дворца съездов. Как и прежде, эта эмблематика носит декоративный характер. Ни о каком самоуправлении не может быть и речи. Государство подобно конусу с широким основанием и вершиной, исчезающей в облаках. Его можно также сравнить с шатром. Оно раскинуто во все стороны и отовсюду сходится к центральному стержню. Государство управляется из единого центра. Даже термин „советский", входящий в официальное наименование страны, как известно, является анахронизмом: советы депутатов трудящихся, в которых Ленин некогда увидел зачаток новой формы управления рабоче-крестьянским государством, от местных до Верховного, раз в четыре года с помпой заседающего в Кремле, – суть элемент все той же утратившей семантику фразеологии, знак знака, о чем уже говорилось выше. Функция депутатов состоит в том, чтобы вовремя аплодировать. Итак, ирония судьбы проявилась в том, что аналогии этому государству, явившемуся на свет как весть и прообраз нового мира, государству, легитимность которого основана на „самой передовой теории", другими словами, на мифологии будущего, – нужно искать в далеком прошлом. Россия есть поистине Третий Рим. Громадный, но единый массив суши, многонациональный централизованный и управляемый военно-административными методами организм представляет собой единственное в средиземноморском регионе и, за исключением Китая, последнее на земле государство архаического типа – империю в классическом смысле этого слова.

Парадокс, основанный отнюдь не на сознательном обмане или, во всяком случае, не только на сознательном обмане, заключается в том, что то, что задумано и преподносится как нечто самоновейшее, оказывается старинным, как вся эта страна. Так произошло с политической властью, с „партией нового типа", которая превратилась в послушный бюрократический аппарат деспотического государства, даже в сверхаппарат, ибо ей в свою очередь подчинены два других аппарата – административный и хозяйственный; с колхозами, которые заставляют вспомнить о крепостном праве; с экономикой вообще, с тотальным планированием, которое тоже рассматривалось как самый совершенный инструмент управления экономикой и которое менее всего отвечает условиям жизни современного общества. Об этом планировании столько уже было сказано, что как-то неловко снова к нему возвращаться. Экономическая централизация дополняет политическую, административную и идеологическую, – собственно, все четыре компонента неразделимы. Когда несколько лет назад одно московское издательство выпустило небольшим тиражом книжку о кибернетических методах хозяйственного планирования, она подверглась „принципиальной критике". Этот эвфемизм означает на советском языке цензурно-административный скандал: книга была опубликована по недосмотру контролирующих инстанций. Автор получил нагоняй, редактор лишился должности. Причиной было то, что в предисловии к книжке, не предназначенной для широкого читателя, очень осторожно была высказана мысль, что эффективное управление невероятно сложной современной экономикой возможно лишь с помощью кибернетики. Между тем в социалистическом государстве экономикой управляет не кибернетика, а партия. Доведенная до предела экономическая централизация и тотальное планирование есть попросту другая сторона политического единовластия. От производства стали до выпуска пуговиц, от сугубо секретных решений об ассигновании средств на создание нового типа ракет до столь же секретного решения повысить цены на водку, от проекта поворота сибирских рек до штатного расписания сельской больницы, до решения вопроса о том, сколько стоит коробка спичек, какова должна быть месячная зарплата парикмахера, сколько платить поэту за строчку, сколько пациентов должен принять за час амбулаторный врач, сколько работников должно быть в мастерской по ремонту обуви, сколько зерна, картофеля, овощей обязан засеять колхоз, – все планируется и предусматривается руководящими инстанциями, все утверждается наверху и „спускается" свыше. В недавно опубликованном пространном постановлении ЦК КПСС говорится, сколько чулок и носков будет произведено в 2000 году. С той же регулярностью, с какой издаются постановления высшего партийного органа о литературной критике, о театральном искусстве, работе журналов или подготовке к празднованию юбилейной даты, – выходят проекты-циркуляры о расширении сети общественных столовых и детских садов. Это и есть наглядное свидетельство заботы партии о народе, – она поистине не забывает ни о чем.

Сказанное хорошо известно и не требует новых примеров. Если, однако, я об этом упоминаю, то совсем не для того, чтобы посмеяться над нелепой претензией предусмотреть и распланировать все на свете. В безумии этой системы есть свой метод. И репрессивные меры, которыми власть отвечает на попытки поставить под сомнение целесообразность тотального планирования, глубоко оправданы. Оберегая свои прерогативы, партия и государство (в данном случае это одно и то же) последовательны, и было бы странно, если бы они вели себя иначе. Потому что дирижирование экономикой есть условие целостности империи. В конце концов все виды централизации сводятся к централизации механизмов самосохранения. Придя на смену рухнувшему царскому самодержавию (и недолговечному Временному правительству), большевики, которые приписывали – не без оснований – заслугу свержения старого строя себе, сумели извлечь из своей победы надлежащий урок. Новый режим обеспечил себя тройным запасом прочности. При этом централизованное управление экономикой оказывается необходимым для поддержания гомеостаза – постоянства внутренней среды вопреки колебаниям мирового климата – не меньше, чем армия, политическая полиция, законы, предписывающие гражданам полное подчинение государству, закрытые границы, опоясывающие империю, словно бочку железные обручи.

Парадокс состоит в том, что эта прочность как раз и доводит до крайности те самые черты, благодаря которым русское государство выглядит пережитком прошлого. Сохраняя архаический облик и архаическую структуру, оно умудряется существовать в условиях, менее всего отвечающих этой структуре: в условиях массового общества с невероятно усложнившейся экономикой и культурой. Вместе с тем удельный вес и роль этой двуликой западно-восточной империи столь велики, что мир, которому она внушает страх, заинтересован в ее сохранении. Ибо гибель гиганта нарушит мировое равновесие. Так он продолжает жить, – динозавр, которому место в палеонтологическом музее.

14. ВСЕ ТО, ЧТО НАЗЫВАЛИ МЫ ДОБРОМ

Впору впасть в отчаяние, не правда ли, от всех этих рассуждений. "Tired with all these, for restful death I cry..." Со знаменитым Шестьдесят шестым сонетом Шекспира у меня когда-то произошла забавная история.

Мне было пятнадцать лет, когда я вычитал эти стихи в романе „Изгнание" Лиона Фейхтвангера, писателя-антифашиста, который в тридцатых и сороковых годах пользовался у нас в стране большой популярностью. Стихи показались мне неплохими. Спустя некоторое время, изъятые при обыске, они лежали на столе у следователя, который вел мое дело. Считалось, что их написал я.

Сколько раз, проходя по площади Дзержинского, которая до революции называлась Лубянской и еще в двадцатые годы дала имя прославленному зданию, я старался представить себе, что там происходит внутри. Теперь я имел возможность удовлетворить свое любопытство. Как было принято в те годы, меня привезли глубокой ночью. Раздвинулись стальные ворота, машина въехала во двор, а оттуда меня провели в подвальное помещение. Последовало раздевание, холодный душ, стрижка наголо. У меня срезали пуговицы, отобрали шнурки от ботинок, ремень, – в соответствии с инструкцией, молчаливо предполагавшей, что самоубийство – естественное желание всякого, кто сюда попадет. Я сыграл на клавишах вальс „Прощай Москва". Это народное выражение означает процедуру снятия отпечатков пальцев.

Вскоре дверь в бокс приоткрылась, мне протянули для подписи квитанцию об изъятии личных вещей. Я повертел ее в руках, на ней стоял штамп: „Внутренняя тюрьма Министерства государственной безопасности СССР". Так я узнал, подобно индийской кукле, едва успевшей окунуть палец в воду, кое-что. Узнал о том, что само по себе было сугубой государственной тайной: внутри здания и в его подвалах находилась тюрьма.

В жизни моего поколения дом на площади Дзержинского играл мистическую роль: он, этот дом, можно сказать, постоянно присутствовал в нашем сознании, как смерть присутствует в жизни. Он и в самом деле был воротами в преисподнюю, точнее, в чистилище, так как собственно загробным царством был лагерь. За гранитным цоколем, придающим всему сооружению сходство с крепостью, – часовые следили, чтобы прохожие не задерживались перед зданием, – за высокими подъездами со знаменами и эмблемами, высеченными из камня, за рядами мертвых поблескивающих окон, уходящих ввысь, находились бесчисленные лестницы, пролеты, переходы, по которым людей почти волочили бегом, по одиночке, в гробовой тишине, издалека предупреждая встречного птичьим клекотом или стуком ключа по пряжке, – это делалось для того, чтобы два арестанта не могли случайно встретиться и узнать друг друга. В этом мертвом доме заключенный слышал лишь шорох собственных шагов и цокот сапог конвоира. Все коридоры были снабжены сигнальными устройствами, на каждом повороте вам командовали сдавленным шепотом: „Руки – над головой! Лицом к стенке!" Но затем вы оказывались в другой части здания. Вас вели по длинным коридорам, устланным дорожками, навстречу попадались офицеры в золотых погонах, с папками под мышкой, а справа и слева тянулись ряды дубовых дверей – кабинеты следователей, старших следователей, заместителей начальников следственных отделов, самих начальников и так далее. Однако и они были только наружной обкладкой здания: настоящую сердцевину составляла тюрьма с ее дворами, камерами и подвалами, которая поднималась из глубин до крыши, где были устроены прогулочные дворы. Там тишина и прекрасный воздух. Вышки с пулематами скрыты за стенами, но стены можно видеть снизу со стороны площади: они выглядят как дополнительный этаж без окон. На протяжении всей моей жизни дом на площади Дзержинского рос и расширялся. В первые послевоенные годы появилась мощная пристройка с правой стороны. В начале восьмидесятых годов воздвигнуто еще одно здание слева; на крыше видны такие же стены.

Спустя годы эти подробности приобретают символический смысл, точно обрывки когда-то увиденного сна. Самая бездарная на свете бюрократия начинает как бы светиться изнутри. Быть может, когда-нибудь историк архитектуры сравнит в качестве двух знаковых систем или, если угодно, двух инкарнаций государственного мифа, комплекс служебных зданий КГБ в Москве с Петропавловской крепостью в Ленинграде, где некогда содержались политические узники – от полулегендарной княжны Таракановой, притязавшей на русский престол, до террористов „Народной воли" и партии социалистов-революционеров, старавшихся его повалить. Быть может, он даже найдет какую-то неуловимую для нас красоту в этих многоярусных, унылых и безликих сооружениях без вывесок, которыми застроен сейчас весь квартал в треугольнике старинных улиц между площадью Дзержинского и Бульварным кольцом. Говорят, кроме наружных зданий существуют обширные подземные помещения под всей площадью и монументом „железного Феликса". Возможно, это легенда, возможно – правда: легенды – необходимая часть правды.

Я сидел в углу за крошечным столиком, ночью, под яркой лампой, а в противоположном углу комнаты, на безопасном расстоянии, за массивным столом под портретом Лаврентия Берия сидел следователь и перелистывал бумаги; это могло продолжаться много часов. Вошел некто с рыбьим выражением лица, следователь протянул ему листок со стихами, они действительно были переписаны моей рукой.

Я смерть зову, смотреть не в силах боле,
Как гибнет в нищете достойный муж,
А негодяй живет в красе и холе,
Как попрано доверье честных душ,
Как над искусством произвол глумится,
Как в лапах зла бессмысленно томится
Все то, что называли мы добром...
От этой жизни я покоя жажду.

Человек смерил меня взглядом и произнес: „Хорош фрукт, а?!”

Спору нет, – это были рыбы, а не люди. Диковинные человекоядные рыбы с мутно-светящимися глазами, в зеленой чешуе, с желтыми плавниками погон, рыбы, которые беззвучно шныряли по коридорам и закоулкам своего министерства, похожего на гигантский аквариум. Обижаться на них было бы нечестно. Они были такими, какими они были, какими только и можно быть в этой среде, дышали жабрами, ловили зубами добычу, – и другими быть не могли. Существо дела они понимали верно. Не имело никакого значения, кто был на самом деле автором сонета Шестьдесят шесть. Стихи с абсолютной точностью выражали отношение подследственного к славной действительности первого в мире социалистического государства, к его охранительным силам, к его вождю, они удостоверяли правильность доносов, лежавших на столе у следователя, – это и было главным. Поэтому было бы лицемерием называть себя жертвой беззакония. Мы все пали жертвой закона. Закон может быть более или менее неудачно отредактирован, и усилия советской юриспруденции за последние тридцать лет, собственно, и сводились к тому, чтобы усовершенствовать словесную формулировку закона, сделав ее по возможности растяжимой, но суть закона совпадает с сутью государства, а государство всегда право.

Можно не сомневаться в том, что, несмотря на очевидную нравственную низость и умственное убожество людей, из которых комплектует свои ряды тайная полиция, несмотря на далекие от какого бы то ни было идеализма мотивы, заставляющие их идти на службу в это учреждение, – среди сотрудников МГБ и КГБ были и есть люди, которым всетаки не чужда мысль о том, что их работа носит сакральный характер и имеет некоторый высший смысл. Этот высший смысл осеняет их, как купол храма – маленьких людей, теснящихся внизу. Основатель и конструктор мясорубки Феликс Дзержинский, одна из колоритнейших фигур революции, польский шляхтич, который в юности мечтал постричься в монахи и стал профессиональным подпольщиком (февральский переворот семнадцатого года освободил его из камеры Бутырской тюрьмы в Москве, впоследствии расширенной и ставшей самой крупной следственной тюрьмой госбезопасности), свято веровал в то, во что уже не могли верить его преемники и питомцы, подобно тому как взрослые люди не могут верить в сказки, поразившие их воображение, когда они были детьми. Но зато взрослым открывается их второй, метафорический смысл. В сущности, мы имеем дело с простой грамматической процедурой, когда подлежащее и сказуемое меняются местами. Из субъекта революция превращается в предикат. Революция была метафорой государства, а не наоборот. Не государство служило внешним и временным оплотом революции, но революция оказалась способом возродить ветхое государство – тысячелетнюю империю. Империя есть сверхценная идея. Государство есть самоцель. Может показаться, что этот институт учрежден с целью поддержания порядка в обществе. На самом деле и порядок, и общество существуют ради того, чтобы торжествовала идея государства. Это – русская, точнее русско-византийская идея.

15. ПОРТРЕТ ГОСУДАРСТВЕННОГО ЧЕЛОВЕКА

Носителем этой идеи, – о чем он, конечно, не подозревал, – был человек в своем роде замечательный. Меня и таких, как я, он, разумеется, не помнит, но, может быть, ему было бы даже лестно узнать, что кто-то хранит о нем живую память.

Забавно было бы свидеться снова с людьми, которых знал в юности. Люди, живущие в воспоминаниях, не стареют, даже наоборот: к ним относишься, как к героям прочитанных в детстве книг. Было время, когда они казались взрослыми, потом начинаешь видеть в них ровесников, а там и младших. Однако представители старшего поколения, начальник следственного отдела и прокурор по спецделам, которому в одну из ночей я был представлен в соответствии с тогдашним ритуалом, – он сидел в необычайно богатом кабинете, где все было соответственно крупнее, чем в кабинете начальника следственного отдела, как там – больше, чем в кабинете следователя: шире стол, выше чернильница, массивней кресло, и над креслом висел уже не

Берия, а тот, по сравнению с которым и прокурор, и даже сам Берия были то же, что я по сравнению с прокурором, – представители старшего, начальственного поколения теперь уже давно вкушают мир под мраморными памятниками, вместе с теми, кто осенял их со стен. Зато подчиненные живы. Следователь, который вел мое дело, вероятно, почтенный пенсионер и, как все пенсионеры, русский патриот. Может быть, даже тайком почитывает Солженицына.

Я думаю, что было бы нетрудно реконструировать его биографию, биографию человека, о котором нельзя просто сказать, что он был порождением своего времени, своей страны и своего государства, правильней будет сказать, что он был их воплощением, их персонификацией. В 1950 году ему могло быть тридцать-тридцать пять лет. Он был ровесником революции. Было нетрудно догадаться, что он родился в деревне. Без сомнения, его родители были бедняки. В другую эпоху он стал бы батраком, безлошадным крестьянином, сезонным рабочим, балалаечником в трактире, кучером или конокрадом. Накопив деньжат, он вернулся бы в деревню, купил земли, женился и был бы по-своему счастлив, но в 1950 году его представления о счастье были совсем другими. В своей родной деревне он стал комсомольцем, в предвоенные годы служил в армии, потом окончил школу Министерства внутренних дел и сделался „оперативным работником". Подобно многим другим, он мог, не кривя душою, сказать: советская власть дала мне все. Именно она, эта власть, избавила его от унылой работы в колхозе или на заводе, спасла от фронта во время войны, от нищеты и голода в послевоенные годы. Вместо этого она обрядила его в офицерский мундир и хрустящие сапоги, посадила в кабинет с телефоном, подарила ему спецпаек, высокий оклад и квартиру в привилегированном доме в Москве, внушила ему, крестьянскому сыну, уверенность в себе, сознание избранности, импозантной тайны, государственного смысла исполняемой им работы, приобщила его к ни с чем не сравнимому наслаждению распоряжаться судьбами и возбуждать страх. Следователь был человек вполне ничтожный, но, если можно так сказать, ярко выраженный. Он был прост и в то же время неуловим. Когда он говорил, нельзя было понять, придуривается он или серьезен, лжет или говорит правду; чаще он все же лгал, потому что таков был стиль этого учреждения и потому что одна из задач его работы состояла в том, чтобы держать обвиняемого в постоянном неведении относительно чего бы то ни было; но лгал он также безо всякой нужды, изобретал целые истории, лгал по привычке, ради забавы или оттого, что давно забыл границу, отделяющую ложь от правды и добро от зла. Был он ловким, ладным, физически сильным человеком, с открытым и довольно приятным лицом, с выражением простоватой хитрецы и смекалки, с этой способностью неожиданно переходить от строгой официальности к балагурству и амикошонству. Он ничуть не был похож на офицера гестапо, как представляют себе этих людей в Советском Союзе: в нем не было ничего садистского, холодно-зверского, вылощенного, надменно-величественного; без золотых погон, блестящих пуговиц и скрипучих ремней, без фуражки с голубым околышем он моментально превратился бы в простого русского парня; в сущности он и был им. Он совершал жестокости как бы играючи – по-приятельски. О нем невозможно было сказать, дурак он или себе на уме, навеселе или трезв, он был прост и непрост, в нем была необыкновенная скользкость. Иногда он напоминал сумасшедшего. Что-то соображал, любил подмигивать; вдруг мог ляпнуть какую-нибудь гадость. Любил такие словечки как „мура”, „лады”, „чин-чинарем”, „знаем мы вас”, „замнем для ясности”, себя называл с ироническим самодовольством „мы, разведка” и, само собой, неустанно крыл матом.

Он был прекрасно осведомлен обо всем, что делалось в университете, знал студентов наперечет и щеголял своим знанием; в сущности говоря, ему не требовалось никаких „данных”, он и сам не скрывал, что оформление дела носило истинно формальный характер. Однако это оформление, несмотря на весь его опыт в этой области, было для него нелегкой задачей. И если я едва волочил ноги, возвращаясь в камеру с допросов, то и он ехал домой после двенадцатичасовой работы, я думаю, изрядно утомленным. Он был очень темный и малограмотный человек, то и дело спрашивал, как пишется то или другое слово, и в протоколах своих обнаружил фантастическое незнание русского языка; естественно, что сочинение их требовало от него длительных усилий. Но неумение соединять слова в предложения сочеталось у моего следователя с удивительной ловкостью в использовании всякого рода застывших государственных словосочетаний. Стиль его так и пестрел выражениями вроде: „свою враждебную антисоветскую деятельность проводил...”,

„неоднократно допускал клеветнические высказывания в адрес одного из руководителей коммунистической партии...” (стилистика этих бумаг запрещала называть по имени величайшего из всех людей, когда-либо живших на земле). Так как все это составлялось от моего имени, то получалось, что я сам на ходу даю правильную оценку моему образу мыслей – и тем не менее придерживаюсь его.

В отличие от многомесячного и обставленного бесчисленными формальностями следствия, суд происходил без лишней траты времени: он состоял в том, что вас вызывали в специальную комнату, где за пустым столом под тусклой лампочкой сидел человек довольно плюгавой внешности, в мундире без погон, похожий на какого-нибудь коменданта общежития. Он протягивал бумажку, типографский бланк, в котором недостающие слова были напечатаны на машинке; текст я запомнил. „Комиссия Особого совещания при МГБ СССР рассмотрела дело по обвинению такого-то по статье... пункт... Постановила: за антисоветскую агитацию приговорить к...” Полагалось расписаться, и на этом процедура заканчивалась. Так как судьба каждого, кто попадал в это учреждение, была решена заранее, еще до ареста (это правило, несмотря на некоторые новшества, действует поныне), то я думаю, что на этом пути возможны дальнейшие усовершенствования: например, можно было бы без ущерба для дела аннулировать вместе с судом и всю процедуру следствия. Но тогда когорта следователей осталась бы без работы, и вообще это уже другая тема. Так или иначе, все мы были рады, что нас избавили от судебной канители.

Что касается самого дела, то оно, как легко догадаться, было вполне заурядным. Вышеупомянутая формула служила обозначением для всего, что невозможно было подогнать под более грозные формулы. Добавлю – раз уж мы говорили о литературе, – что оно было украшено еще одним именем.

Вскоре после войны в Москве вышел роман Ганса Фаллады „Каждый умирает в одиночку”, последний всплеск таланта физически и духовно разрушенного писателя, который удостоился кратковременной чести стать бургомистром городка Фальдберг в советской зоне оккупации. Незачем пересказывать содержание этой достаточно известной книги. Я скажу о ней лишь несколько слов. В ней рассказано о стране, где все боялись друг друга, потому что каждый подозревал в другом доносчика. Люди затыкали уши, чтобы не слышать слова правды, и потому тот, кто осмеливался их произнести, был заведомо обречен. Он был обречен задолго до того, как был выслежен и арестован. В этой книге комиссар Эшерих объясняет уличному бродяге, что бывает с теми, кого схватит тайная полиция.

„Знаешь, Клуге, они посадят тебя на стул и направят на тебя сильную лампу, и тебе придется смотреть на эту лампу, и ты будешь изнемогать от жары и яркого света. И они будут тебя допрашивать, долгими часами, они будут меняться, но тебя никто не сменит. День и ночь, Клуге, день и ночь... И они будут тебя морить голодом, так что желудок у тебя сморщится, как боб. И ты будешь рад подохнуть от боли. Но они не дадут тебе подохнуть”.

В том же самом городе жил один рабочий-краснодеревщик. Он был тихий и незаметный человек. Однажды он получил известие, что его сын солдат погиб во Франции. И вот этот человек, который никогда не интересовался политикой, затеял странное и опасное предприятие. Он купил нитяные перчатки, ибо он очень осторожен, этот незаметный человек, он слышал, что от пальцев остаются отпечатки, – надел их и старательно, печатными буквами написал открытку с пропагандой против Гитлера. С тех пор каждое воскресенье он писал такие открытки, по одной в день, потом отправлялся в какую-нибудь отдаленную часть города, заходил наугад в подъезд и оставлял открытку перед чьей-нибудь дверью или бросал в почтовый ящик. Он представлял себе, какое они возбудят брожение в умах, как их будут передавать из рук в руки, рассказывать о них друзьям.

А в это время комиссар, занимавшийся делом Невидимки, аккуратно втыкал флажки на большой карте города Берлина, отмечая места, где были подобраны открытки. За два года их набралось почти две сотни, и все они, сложенные стопкой, лежали на столе у комиссара. Полиции не пришлось их разыскивать; люди сами несли их в гестапо, едва успев пробежать глазами первую строчку. И постепенно город покрылся флажками, и кольцо их сжималось вокруг района и улицы, где не было найдено ни одной открытки. На этой улице жил Невидимка, der Klabautermann, как называл его комиссар. В этой книге, которую я не решаюсь перечитывать, чтобы не разочароваться в ней, меня поразило сходство атмосферы. Я недоумевал, как всевидящая цензура не заметила опасности произведения, описывающего почти то же самое, что было в нашей стране, – но странным образом остался глух к его безжалостной и безнадежной морали. Способ протеста, изобретенный краснодеревщиком Отто Квангелем, очаровал меня, и я поделился своими планами с двумя самыми близкими друзьями, один из которых давно уже писал о нас донесения комиссару Эшериху, сидевшему в своем кабинете в высоком доме на площади Дзержинского.

16. СЕМЬДЕСЯТ ТЫСЯЧ ПРИЗРАКОВ

Как-то раз, это было году в пятьдесят втором, до нас дошел номер московского партийно-просветительного журнала „Новое время". В разделе „Против дезинформации и клеветы" была напечатана статья, разоблачавшая очередную вылазку буржуазной пропаганды: какой-то журналист на Западе, выполняя волю своих хозяев, тиснул сенсационное сообщение о том, что в Ивановской области, в районе станции Сухобезводное якобы находится крупный концентрационный лагерь с населением в семьдесят тысяч человек.

Читая эту статью, мы, сидевшие в этом лагере, испытывали род патриотической гордости, напоминающей гордость провинциалов, узнавших о том, что их заплесневелый городишко помянула столичная печать, однако опровержение нас нисколько не удивило: ведь мы отлично знали, что все мы вместе с нашим начальством и охраной попросту выдуманы, изобретены врагами мира и социализма. Мы знали, что наше существование – утка, пущенная продажными борзописцами из западных газет, что мы – призраки, что нас нет и не может быть, как не существует и такой станции под названием Сухобезводное. На этот пункт особенно напирал автор опровержения в журнале „Новое время": достаточно, писал он, взглянуть на карту Ивановской области, чтобы убедиться, что никакой станции Сухобезводное там нет и в помине. Кто же после этого поверит... и так далее.

Автор опровержения был прав. Дело в том, что еще в тридцатых годах было произведено новое административное деление, по которому восточные районы Ивановской области отошли к Горьковской области. Утверждение, будто лагерь был „крупным", тоже не соответствовало действительности. Хотя цифра 70.000 более или менее приближалась к расчету, который можно было сделать, исходя из ориентировочного числа лагерных пунктов и среднего населения лагпункта, однако в начале пятидесятых годов в стране было немало лагерей, по сравнению с которыми наше учреждение выглядело скромным. Продажный борзописец очевидным образом пользовался устарелыми данными.

Тем не менее и наш лагерь представлял собой своего рода государство в государстве.

Есть игра „морской бой". На пустом листе разграфленной бумаги вы должны, называя наугад клетки, угадать расположение невидимых кораблей противника. Если вам повезет, вы можете наткнуться на дредноут.

Глядя на карту северо-восточных областей Европейской России, можно заметить довольно обширную полосу без населенных пунктов, которая тянется к северу от железнодорожной линии Горький–Сухобезводное до реки Унжи, пересекая Горьковскую и Костромскую область. Это и было место, где скрывался дредноут, – Унженский исправительно-трудовой лагерь, полуофициальное название которого было Унжлаг, а официальное (кодовое) – ИТЛ „АЛ". От столицы лагеря, станции Сухобезводное, шла на север железнодорожная ветка, не обозначенная на картах, которую пассажирский поезд, состоящий из клеток для заключенных и вагонов для лагерных начальств, одолевал примерно за пятнадцать часов. А навстречу ему, пыхтя, шли товарные поезда, составленные из трофейных платформ и тяжелых четырехосных вагонов, на которых еще видны были полустершиеся орлы и надписи "Reichsbahn". То были годы, когда на линиях московского метрополитена ходили вагоны берлинского метро, в кинотеатрах демонстрировались трофейные немецкие фильмы с Марикой Рекк, а в лагерях доживали свои дни на лесоповале вывезенные из Германии лошади и пыхтели на дорогах немецкие локомотивы. Товарные составы везли на станцию Сухобезводное первоклассный лес. Оттуда он шел на юг, в шахты Донбасса, и в северные океанские порты.

Около двух десятков станций лагерной железной дороги соответствовали головным лагерным пунктам. Почти все они были производственными, но был также „сельхоз", „ширпотреб", штрафной лагпункт, комендантский лагпункт и „больничка".

Вокруг головного лагпункта, вглубь от железной дороги располагались дочерние лагпункты, называемые подкомандировками. При каждом имелся поселок для офицеров и вольнонаемных, казарма для солдат и пр. Население головного лагпункта – примерно полторы тысячи заключенных, на подкомандировках немного меньше. По мере истребления леса Унжлаг раздвигал свои границы к северу и востоку, удлинялась ветка, строились новые лесосклады и новые лагпункты, на которые прибывали новые жители. Лагерь вгрызался в тайгу, оставляя за собой кладбища пней, черные пустоши со следами костров, с обгорелыми кочками, поломанными куртинами, остатками круглолежневых дорог и насыпями, по которым когда-то пролегали усы узкоколейки. Там и сям среди этой пустыни находились свалки мусора, поля для своза нечистот и кладбища заключенных. И везде, вдоль дорог и насыпей, на площадках заброшенных складов, забытых и запустевших лесопильных мастерских, между холмами порыжевших опилок лежало огромное количество гниющей, полузатопленной в болоте древесины, которую не успели вовремя вывезти: некогда заниматься, некогда наводить порядок. *План* поджимает!

17. ЛАГЕРЬ КАК ЭКОНОМИЧЕСКАЯ ФОРМАЦИЯ

Кажется, не было такого угла на земле, который с бóльшим правом мог называться краем света, и все же наши места были по-своему знамениты.

Триста лет тому назад сюда бежали раскольники. Нищие деревеньки, кое-где еще влачившие свое призрачное существование посреди тайги, сберегли названия иной эпохи. Раскольники принесли предание о суздальском граде Китеже. Татары хотели сжечь Китеж, но он не погиб. В тихую погоду со дна озера Светлояр доносится колокольный звон. В прозрачной воде можно разглядеть белые стены, башни и луковицы церквей. Где-то совсем близко от нас находилось это озеро, но кто мог подумать, что легенда когда-нибудь воплотится в действительность!

Итак, лишь мало-помалу, медленно, как проступают из потемок сначала ближайшие, а затем и отдаленные предметы, как становятся видны в толще воды башни и стены, – вырисовывается это странное секретное государство, этот невидимый град Китеж – лагерная страна, огражденная глухими стенами и вышками, опоясанная болотами и лесами. Вся жизнь в этой стране подчинена производственному плану; ни одно понятие не имеет столь всеобъемлющего значения, ни один закон, божеский или человеческий, не является более категоричным, бесповоротным, мистически-непререкаемым. План заменяет этой стране религию, мораль, конституцию, идеологию: он возвещен ей как бы с сионских высот, *спущен* из таинственных заоблачных учреждений: из Главного Управления Лагерной Лесной Промышленности (сокращенно – ГУЛЛП), Главного Управления Всех Лагерей (сокращенно – ГУЛАГ), Государственного Планового Комитета (ГОСПЛАН) и, должно быть, еще какого-нибудь Главного Управления Всего на Свете. И вся многорукая и многоголовая орда работяг-невольников, под крики бригадиров, под бодрый мат мастеров, подгоняемая страхом, подогреваемая подачками и фантомом свободы („честный труд – путь к досрочному освобождению!”), в величайшей спешке выгребает этот чудовищный план: стучат топоры, стрекочут электрические пилы, тысяча пар ног, точно крысы лапками, перебирают шпалы узкоколейной дороги перед рассветом и на закате, на работу и с работы, под зычные окрики конвоиров. Подготовительная колонна готовит новое оцепление, прорубает просеки, мастерит бревенчатые дороги, склады, вышки, заборы; повальщики валят лес, сучкорубы сшибают сучья, раскряжевщики режут хлысты, навальщики наваливают; снег плавится вокруг костров, желтый дым ест глаза, туманное солнце висит над равниной, по которой возчики гонят дубинами лошадей. Скрипят возы, огромные, мохнатые от инея лошади, хрипя, вколачивают копыта в оплывший ступняк, и пар валит от них на тридцатиградусном морозе. На другом краю оцепления – склад: свальщики сваливают, укатчики катят бревна. Возчик, заиндевелый, как дед-мороз, торопит маркировщиков: нужны проценты, еще можно успеть сделать лишнюю ездку до съема! Ночью погрузколонна в слепящем свете прожекторов с хриплыми возгласами катит вверх по скользким вагам бревна, пахнущие смолой; оглушительно свистит паровоз, начальник конвоя, в меховой шапке со звездой, синий и окоченевший, стоит на подножке. И так день за днем, ночь за ночью из тайной страны идут эшелоны, груженые рудничной стойкой, авиасосной, тарником, шпальником, катушкой, резонансовой елью; где-то далеко, в гаванях Заполярья, другие заключенные в рваных телогрейках и бушлатах грузят лес на английские и бельгийские пароходы, а на другом конце земли те же драные бушлаты крепят рудстойкой подземные лабиринты шахт, и там тоже свой план. Дадим Родине лес! дадим угля! дадим руды! Молох сидит на корточках, и миллионы рабов швыряют ему корм в разверстую пасть.

Публике надоела лагерная тема. Публика сыта. Зачем все это снова жевать?..

Затем что тусклая жуть лагеря, скрытая от всего мира страна, откуда не возвращаются и откуда мы все же вернулись, была *образом жизни*. Русский лагерь принудительного труда отличается от немецкого концлагеря прежде всего тем, что он является в первую очередь экономическим учреждением и лишь во вторую – инструментом террора. Когда тайна раскрылась, произошла романтизация лагеря. Он превратился в притчу нашего века. Тем не менее лагерный образ жизни был всего лишь очищенным от некоторых условностей концентратом обыденной жизни громадного большинства людей. Насколько проще было поверить в Голгофу, в заговор адских сил, в братство жертв и свирепость палачей, в романтику вышек и прожекторов, словом, поверить в *произвол*, чем допустить удручающую *непроизвольность* этого ада. Между тем этот ад был необходим. Представить себе историю страны без системы организованного принудительного труда так же невозможно, как представить себе ее географию без усеявших всю карту империи лагерных княжеств и королевств. Ее экономическая мощь, созданная в неслыханно короткий срок, могла возникнуть лишь на внеэкономической основе. На протяжении тридцати лет, с середины двадцатых годов, когда лагеря заключенных стали превращаться из репрессивных учреждений в экономические, до середины пятидесятых, не было ни одной из ведущих отраслей промышленности, где с неизменным успехом, с ничтожной себестоимостью, планомерно и плодотворно не эксплуатировался бы труд узников. Превращение отсталой России в индустриальную державу первого ранга было бы немыслимо без этой системы; грандиозные свершения социалистического строительства были в немалой степени достижением лагеря. История концентрационных лагерей начинается с Кубы и Южной Африки, с последних лет прошлого века, но лагерь как экономическая формация – не предусмотренная Марксом – был изобретением нашего отечества. Тут мы держим безусловный приоритет. Лет тридцать назад кто-то предлагал соорудить мемориал „жертв культа личности". Можно было бы воздвигнуть статую Неизвестного з/к с надписью: „Строитель социализма".

В памятной записке Лейбница, врученной около 1710 года русскому посланнику в Вене для передачи царю Петру Первому, был набросан чертеж – две реки соединены прямой линией в районе Царицына, в том месте, где они подходят излучинами друг к другу: проект судоходного канала длиной около ста километров. Через два с половиной века этот проект был воплощен в жизнь заключенными Волго-Донского исправительно-трудового лагеря. Каналы и водохранилища, города и гавани Европейского и Азиатского Севера, Урала, Сибири, Дальнего Востока, железные дороги, проложенные через тундру и тайгу, аэродромы, заводы, металлургические комбинаты, угольные копи и медные рудники в Казахстане, урановые рудники на Новой Земле, освоение огромных территорий, Воркута, Норильск, Магадан, Комсомольск-на-Амуре, Советская Гавань, Беломорско-Балтийский водный путь и высотное здание Московского университета на Ленинских горах – все это воздвигнуто, создано, благоустроено под дулами винтовок и автоматов, трудом и потом подневольных строителей, энергией и талантом заключенных инженеров, гением и фантазией работавших в заключении ученых. Напротив, упадок и одряхление экономики, снижение темпов хозяйственного роста, зависимость от иностранной помощи, нараставшая за последние двадцать лет, – очевидное следствие деструкции лагеря. И, может быть, есть только один способ радикально поправить дела во всесоюзном масштабе: возродить, под другими названиями и на новой технической основе, систему массового принудительного труда.

18. ВПЕРЕДИ ПРОГРЕССА

Не требуется особых усилий, чтобы заметить, что лагерь, точнее его элементарная клеточка, лагпункт, представляет собой миниатюрную копию государства, которое его породило.

Государство это находится под неусыпной охраной; попытка выбраться из него, бежать, даже одна мысль об этом, рассматривается как тяжкое преступление. Первейшая обязанность подданных этого государства – трудиться. Поскольку эта обязанность не вытекает из внутренних потребностей каждого человека, она декретирована извне. То, что делают все, никому в отдельности не нужно; так называемое общенародное благо есть категория, никак не соотносящаяся с реальным благом каждого; чем богаче государство, тем беднее граждане, чем оно сильней, тем они несчастнее. Лагерное государство есть царство отчуждения, и в этом смысле лагерь лишь доводит до крайности то, что свойственно всей стране в целом. Лагерь – модель русской жизни.

То, что труд здесь принудителен, не является следствием беззакония, но обусловлено самой природой этого общества. Труд является „делом чести". Именно поэтому все надежды, все помыслы и стремления граждан направлены к тому, чтобы увильнуть от работы. Новый стимул получает старинная ненависть к труду, завещанная веками татарщины и крепостного права, и поистине небывалого совершенства достигает в этом государстве искусство *темнить* – делать вид, что работаешь. Это искусство становится правилом жизни и натурой людей; но зато и целый штат специально занят выслеживанием и разоблачением симуляции: существует особый социальный слой, страта лиц, обязанность коих – заставлять работать других. В этом заключается смысл карьеры в лагерном государстве: из разряда тех, кто везет воз, пересесть в разряд погоняющих.

При таком условии им гарантируется почти узаконенное безделье. Безработицы в том смысле, какой это слово имеет в других странах, лагерное государство почти не знает: там, где труд – наказание, безработица может быть только наградой. Таким образом, в лагере принудительного труда, как ни странно, можно совершенно ничего не делать; можно палец о палец не ударять, не заботиться о еде и одежде, можно иметь слуг; социалистический лагпункт живет под девизом „кто не работает, тот не ест, а жрет". Расстояние между хозяевами и слугами в масштабе этого микрокосма не меньше, чем расстояние между партийными бонзами и обычными гражданами в „большом государстве". Но для массы действует легальная часть вышеупомянутой формулы. Подкреплением трудового энтузиазма, точнее, его залогом служит тюрьма. Внутри лагерной зоны находится окруженный собственным забором изолятор. По утрам, после развода, нарядчик и надзиратели ведут в тюрьму „отказчиков". Однако никому не приходит в голову разбудить и выгнать на работу заплывшего жиром культорга, каптера, заведующего столовой или какого-нибудь опухшего от неподвижности главаря у́рок – во́ра в законе, стоящего вместе с остальной элитой над законом.

Можно было бы во всех подробностях проследить, каким образом представлены на лагерном пункте главнейшие стороны жизни государства, как и его силы: армия (наружная охрана), полиция (надзиратели), идеология (культурно-воспитательная часть), наконец, секретная служба, которую на лагпункте олицетворяет оперативный уполномоченный, именуемый тут, как и по всей России, *кумом*. Кум дает особую тональность лагерной жизни, в которой подозрительность и недоверие людей друг к другу составляют норму поведения, ожидание предательства естественно и самый факт доноса или провокации никого не удивляет. Невидимое присутствие кума ощущается везде. Запертый в своем кабинете, с отдельным входом и выходом, со стулом в углу для допрашиваемого, обложенный папками дел, оперативный уполномоченный – таинственный хищник – представляет в своем лице ведомство, стоящее в стороне от всех и над всеми; в некотором смысле он важнее самого начальника лагпункта. Однако острием пирамиды является все же начальник: аналог Великого друга, Учителя и Вождя.

Две черты нашего времени достигают в лагере крайней степени: перенаселение, которое выражается в том, что человек нигде не может остаться наедине с собой, и вдвойне удивительно в стране, где так много места, – и огосударствление всей жизни, полное и окончательное порабощение человека чудовищем без имени и лица, над которым в конечном итоге никто не является господином, но которому служат все. С этой точки зрения можно сказать, что Россия, предвосхитившая окончательное торжество бюрократии, действительно шагает впереди цивилизации, обогнав всех. Но, заглянув в лицо этому знаменосцу, мы вновь убедимся, что он стар. Стар, как Мафусаил.

Я назвал эти организмы королевствами не для красного словца. Лагерь в самом деле напоминал феодальное государство, где власть центрального государя – в нашем случае это был начальник Главного управления Унжлага в Сухобезводном, а управление было его двором – скорее номинальна, во всяком случае никак не чувствуется, а сам государь, существуя на правах Бога, мыслится достаточно отвлеченно как персона, облеченная сверхчеловеческими полномочиями и потому непосредственно на людские дела не влияющая. Настоящим хозяином, отцом и владыкой судеб является ленный вассал – начальник лагпункта, который наделен вполне человеческой и неограниченной властью. Но власть эта – от Бога, ибо никому не ведомы юридические установления, по которым именно он, а не кто-нибудь иной, вершит свою власть; никому не подотчетны мотивы, следуя которым он направляет ладью своего маленького государства по единственно верному и в общем понятному всем руслу. Фигура начальника лагпункта, возвышаясь на крыльце вахты, откуда князь обозревает свой народ и виден народу, внушает ужас, покорность и своеобразную любовь. И пока тарахтит оркестр музыкантов в бушлатах, пока нарядчик выкликает бригады и пары одна за другой выходят из ворот, пока идет утренний шмон за вахтой, пока, сидя на поджарых задах, хищно зевают, изрыгая пар, караульные овчарки, а наверху, над вахтой и вратами, обняв свою аркебузу, топочет валенками черноглазый мусульманин в тулупе и вся вышка скрипит от мороза, – пока все это идет своим однообразно заведенным чередом, крепостное войско и крепостной люд читают на грубом, мясисто-красном лице удельного князя отцовский гнев и отцовскую милость, и в самих звуках его пропитого голоса народ улавливает свирепый юмор, свирепую волю и тот извечный самодержавный абсурд, который всегда находит странный отклик в народной душе. Ибо залогом нерушимости феодального порядка служит и сам этот порядок, и феодальная психология подданных.

К этому нужно добавить военную организацию лагеря, – в военщине всегда есть что-то средневековое, – и, конечно, географию: редкие лагерные селения, затерянные среди тайги и болот.

Высокий тын, дощатые ворота, вышки, придающие лагерной зоне сходство с сибирской сторожевой крепостью семнадцатого века, поодаль хоромы князя, службы и лабазы, изба для стрельцов. Баня, какие строили при Василии Третьем. Запах дегтя, навоза и человеческих экскрементов, откуда-то доносящийся запах вареной конины. Ватные зипуны, лапти, фантастические рыжие валенки из эрзаца, расширяющиеся книзу, с задранными носами, словно полозья; одинокие бесконвойные, точно нищие странники, бредущие вдоль дороги, колонна сопливых подростков, у которых под мышками сквозь прорехи, из дыр, прожженных возле костров, выглядывает нагое тело: бушлат и руины штанов выданы „на сменку" великодушным победителем – взамен проигранного в карты, ночью, на нарах в тусклом бараке. Темнолицые деревенские женщины, промышляющие возле лагпункта, с певучим выговором, с плетеным коробом за плечами, смиренные, неожиданно-смешливые, хитрые, мягкосердечные, распутные. Вечное чавканье под ногами, полгода снег, красное, как арбуз, солнце и кольцо леса на горизонте. Поистине это был другой век.

19. ПОЛУНОЧНОЕ БРАКОСОЧЕТАНИЕ

„Нет – это невозможно... Тысячелетние предчувствия не могут обманывать. Россия, страна верующая, не ощутит недостатка веры в решительную минуту. Она не устрашится величия своего призвания и не отступит перед своим назначением. И когда же это призвание могло быть более ясным и очевидным? Можно сказать, что Господь начертал его огненными буквами на этом небе, омраченном бурями... Запад исчезает, все гибнет, все рушится в этом общем воспламенении... И когда над этим громадным крушением мы видим всплывающею святым ковчегом эту империю еще более громадную, то кто дерзнет сомневаться в ее призвании, и нам ли, сынам ее, являть себя неверующими и малодушными?"

Читаешь и думаешь: можно ли было злей посмеяться над нашей страной... Что сказал бы он сейчас, этот оратор, если бы высунулся из гроба? Хлопнул бы крышкой, и больше бы мы его не видали. А ведь это был Тютчев. Была ли его фантастическая вера, подогретая зрелищем баррикад 1848 года, выражением подлинной любви к родине? Я бы хотел знать, что значит быть патриотом.

Иногда начинает казаться, что все слова потеряли смысл. Один из самых опасных и труднопреодолимых соблазнов – применить к жизни страны категории человеческой жизни. Трудно найти историка или философа, который не поддался бы этому соблазну, оперируя такими понятиями, как нация и народ. Страх и надежда, юность и увядание, свобода, необходимость, предназначение, судьба – потому лишь не пустые слова, что они осознаются как нечто неотделимое от личности, как лики нашего „я”, и все еще позволяют нам, говоря словами Хайдеггера, жить в истине бытия. Философствовать о судьбе страны и ее предназначении, о прошлом и будущем целого народа – не значит ли злоупотребить метафорой, которая и без того уже принесла так много вреда: вернуться к представлению о нации как о личности со своей „душой” и „судьбой”? Вместо того чтобы сказать себе: вот действительность, вот факты, вот географическая территория, на которой проживает столько-то миллионов человек, более или менее довольных жизнью, более или менее несчастных, людей, которые принадлежат единому государству, говорят на одном из существующих в нем языков, воспитаны в более или менее унифицированной системе понятий, ценностей, предрассудков, но в огромном большинстве своем вовсе не помышляют ни о прошлом, ни о будущем своей страны, ибо им хватает собственных повседневных забот, людей, чья историческая память едва ли выходит за пределы их личной жизни и жизни их родителей, – вместо трезвого взгляда на действительность является некий образ, рождается историософский фантом, запевает миф. Поэты, композиторы, словно сирены, подхватывают его один за другим, поколения мыслителей, которых правильней было бы назвать рапсодами, погружены в какой-то транс, священный ужас, охватывающий душу в предчувствии истины, которая где-то рядом, но остается неуловимой. Бледный, словной опоенный каким-то зельем Бердяев, закрыв глаза, с дергающейся щекой, вещает „Божий замысел о русском народе", Достоевский в Дрездене, между двумя припадками священного недуга, ночью, в мертвой тишине уснувшей гостиницы пишет главу „Бесов", которая так и называется: „Ночь". И как будто в театре, все погружается в мрак. Тонет и исчезает Европа, Седан, франко-прусская война и пленение французского императора. В тусклом сиянии настольной лампы на сцене вырисовывается бедная комнатка в мезонине пустого дома на Богоявленской улице, где происходит ночной разговор между Шатовым и Ставрогиным. Тому, кто жил в провинциальных русских городах, легко представить себе и влажный, „темный, как погреб" сад, куда вышел Николай Ставрогин, отправляясь к Шатову, и грязные неосвещенные переулки Заречной стороны, и эту Богоявленскую улицу; по крайней мере в Калинине, прежде называвшемся Тверью, где, по-видимому, происходит действие „Бесов", многое выглядит точно так же и сто лет спустя. Есть нечто наркотическое в этих страницах, на которых, как на стенах комнаты, пляшут жестикулирующие тени. Это – ночной разговор о том, что народ есть тело Божье, а Бог – синтетическая личность русского народа. И невозможно понять, где кончается наваждение идей и начинается наваждение всей этой обстановки, блеск лампы, глухие голоса, скрип половиц и бесконечный дождь за окном, глухой осенний дождь, какой бывает только в России. Этот свет на столе – последнее пристанище, дом, якорь. Шатов, как сводня, соблазняет Ставрогина мистическим совокуплением с Русью. Там, снаружи – тьма и непогода, и рыщут бесы, и бродит убийца, сбежавший с каторги. А здесь сладкая судорога самоотдачи и забвение. Русь – огромное тело, теплое тело женщины. Погрузиться в него без остатка, раствориться в нем. Отказаться от суверенитета собственной личности. Вот условие спасения. Заплатить за него надо свободой. Ни один русский писатель ни до, ни после Достоевского не сделал так много для того, чтобы воссиял русский миф; ни один русский писатель так не скомпрометировал этот миф. Но система взаимоисключающих оппозиций, мышление в категориях „или – или", – черта, присущая в этой стране не ему одному. Или эротика национализма, или аскеза одиночества. Или мистическая оцепенелость перед идолом „почвы", самоотождествление с народом, с его внеисторической, темной и безотчетной правдой, мистический брак с родиной, и тогда я уже никогда не буду свободен. Или свобода. Но тогда я навсегда один. Вот к чему, собственно, сводится представление о нации как о высшей экзистенции, вбирающей в себя все частные экзистенции, всех нас без остатка, и сегодняшний русский национализм ничего к этому представлению не прибавил.

Замечательно, однако, что он не сумел его скомпрометировать. Этот новый национализм, болезненным цветом расцветший в последние десятилетия в художественных и литературно-философских кружках обеих столиц частью на поверхности, частью в подполье, душный и затхлый, в сущности не сделавший за сто лет ни одного шага вперед, – при всем его очевидном эпигонстве не сумел окончательно лишить очарования „русскую идею". Состарившись, она нисколько не подурнела и кажется еще соблазнительней. Дело в том, что оспорить националистический миф невозможно: его raison d'être* носит почти физиологический характер. Миф этот сросся с нерушимой догмой российской имперской государственности, облекающей русский народ, словно богатыря, в шлем и латы, но его внутренняя, скрытая в подполье разума и неистребимая основа находится по ту сторону каких бы то ни было политических, идеологических или философских соображений. В своем глубочайшем ядре он неуязвим. Архетип народа как единого живого тела, вневременный, неизменный в смене правительств, режимов, эпох, – возможно, выражает то, что внутренне очевидно для каждого, кому выпало счастье или несчастье родиться и жить в России: ощущение интимной связи между собственной жизнью и страной. Больше того: переживание страны как некоторого продолжения собственной личности. Если это так, то „Божий замысел о русском народе" вновь обретает резон и смысл.

20. И ЭТОТ ИЗ НИХ

Существует общественная группа, которая сделала своей профессией истолкование этого замысла. Но прежде чем идентифицировать себя с этой группой, до сего дня не уставшей философствовать о судьбе русского народа, нужно понять, что никакая идентификация с народом для этой группы невозможна.

* оправдание (*франц.*).

Страна как продолжение личности, – превосходно. В конце концов и официальные изъявления патриотических чувств сводятся к тому же: судьба Отечества – это моя судьба. Следовало бы, однако, ответить на вопрос: с какой же все-таки частью – или органом – гигантского российского организма мы готовы себя отождествить? С каким классом? С каким социальным этажом? С какой национальностью? – ибо в конце концов Россия состоит не только из русских.

Автор этих заметок задал себе такой вопрос лет сорок назад, и ни тогда, ни позже не сумел на него ответить. Думая о классовой структуре общества, о классовом сознании и классовой борьбе, которая, как нас учили, составляет сущность истории, я испытывал стыд и разочарование: никто из моих близких, ни мой отец, ни его друзья, ни наши родственники, не говоря уже обо мне самом, очевидным образом не могли быть отнесены ни к какому классу. Получалось, что мы какие-то отбросы, до которых замечательная теория попросту не нашла нужным снизойти. Неясным было и место на социальной лестнице. Одно можно было сказать о нашей семье, как, впрочем, и о десятках других семей, населявших наш битком набитый жильцами дом в узком и кривом переулке Старой Москвы: место, которое мы занимали в обществе, было определено однажды и навсегда. Было очевидно, что отец мой не имел никаких шансов подняться наверх, но ему не грозила, по-видимому, и опасность скатиться вниз и стать одним из тех людей, которые во множестве ходили от одной двери к другой, прося милостыню, грелись в подъезде возле теплых батарей или изучали содержимое мусорного ящика. Тем не менее вопрос, что называть верхом и низом, был не так прост: по одним показателям мы относились к так называемой чистой публике, по другим – к презренному плебсу. Не будучи „народом", мы, конечно, не принадлежали и к тем, кто поставлен над этим народом. Словом, если в идеальном архитектурном проекте социалистического общества для нас и находилось полуподвальное помещение, то оно было скорее придатком, нарушавшим стройность его форм.

Еще сложней обстояло дело с национальным самоопределением: я выходец из среды, которая носит несколько странное название „пятый пункт". Имеется в виду графа в паспорте. Можно было бы посвятить особое исследование паспорту, этому шедевру административной мысли, назначение которого в СССР отнюдь не сводится к тому, чтобы служить подтверждением, что владелец паспорта есть именно то лицо, за которое он себя выдает. Правильней будет сказать, что роль и значение владельца зависит от того, каким паспортом он владеет. Широко распространенная легенда, будто комбинация букв и цифр, римских и арабских, составляющих паспортный номер, заключает в себе некоторую зашифрованную информацию, которая в свою очередь отсылает к более обширной информации, хранящейся в недрах сыскных учреждений, в таинственной картотеке, где сосредоточены все сведения обо всех гражданах страны, живых и мертвых, – легенда эта, независимо от степени ее правдоподобия, возникла недаром: в ней сокрыта некая фундаментальная истина. Она выражает отношение к паспорту как к священной грамоте, документирующей нерушимый завет гражданина с божеством государства. И нужно сказать, что паспорт, который каждый обязан иметь всегда при себе и предъявлять по первому требованию, действительно представляет собой наполовину зашифрованный документ, толкование которого является прерогативой компетентных инстанций.

Существует власть и магия документов. Существует психологический комплекс паспортной неполноценности: к каким только уловкам не прибегает страдающий этим комплексом, дабы увильнуть от встречи с милиционером и необходимости предъявить свой порочный паспорт. Он может не знать, в чем именно состоит эта порочность, в какой графе она упрятана, однако опыт убеждает его, что в его паспорте *что-то есть*. Неизвестно, чем может грозить ему его неполноценность, ограничится ли страж порядка пристальным взглядом и туманным предупреждением или выставит паспортного калеку в двадцать четыре часа из города; но лучше, чем кто-либо, обладатель такого паспорта постиг смысл одиннадцатой заповеди, которую русский народ прибавил к Декалогу Моисея: „не попадайся на глаза начальству".

Выйдя из лагеря, я получил книжечку с гербом, на первый взгляд ничем не отличавшуюся от обычного паспорта. Но на второй страничке, в графе „На основании каких документов выдан паспорт", было написано: „На основании Положения о паспортах". Это и был условный знак, пароль, превращавший мою обыкновенную книжечку в то, что еще сто лет назад в народе называлось волчьим билетом.

Выяснилось, что каждый работник милиции, каждая барышня в паспортном столе, где оформляется прописка, взглянув на эту пометку, тотчас понимала, из каких лесов явился предъявитель сего документа. Пометка, отсылавшая к загадочному Положению о паспортах, которое в свою очередь было основано на еще более секретных решениях и инструкциях, влекла за собой цепь последствий, о которых я мог лишь смутно догадываться: власть документов состоит, между прочим, и в том, что пределы ее неизвестны. Но мы отвлеклись.

К числу паспортных шифров принадлежит упомянутый Пятый пункт – графа о национальности. Покойный Брежнев в свое время сделал вклад в сокровищницу марксистско-ленинской теории, сообщив о появлении „новой исторической общности" – советского народа, но едва ли это открытие означало для партийной, военной и административной верхушки что-либо иное, нежели обновленную формулу русского имперского национализма, который прибегает к интернациональным и наднациональным лозунгам всякий раз, когда требуется подавить национальные амбиции окраин. Фраза о новой исторической общности в последние годы не повторяется. И уж тем более не может идти речи о том, чтобы отменить Пятый пункт, – в стране, где, кроме „старшего брата", имеется более ста меньших братьев разного калибра и отнюдь не одинаковой ценности. Однако в обычном словоупотреблении выражение „пятый пункт" имеет более узкое значение. Как шифр, кодирующий особый вид государственной неполноценности, он означает только одну национальность, причем именно ту, которая парадоксальным образом национальностью не признается.

С национальной идентификацией в моей жизни произошло то же, что и с классовой, и с социальной принадлежностью. Я и тут сидел между двух стульев. Согласно официальному учению о нациях (специалистом по этому вопросу был, как известно, сам Сталин), еврейского народа не существует. Евреи – это обломок чего-то, чего давно уже нет, историческое недоразумение, которое до сих пор почему-то не исправлено, хотя с ним давно уже следовало бы покончить: евреям давным-давно полагалось бы ассимилироваться с русским народом; в то же время их ни в коем случае нельзя смешивать с русским народом, нельзя дать им повод замаскироваться. Подобно некоторым другим аномалиям, подобно самой жизни, которая представляет собой досадное исключение из всеобъемлющего и непобедимого Учения, евреи были как бы вынесены за скобки, а в этом состоял, если угодно, философский смысл Пятого пункта.

Практический же, реальный жизненный смысл – сводился к совершенно особой идентификации. Странно, не правда ли, что идиотская бюрократия, цель которой во все времена одна и та же – отменить жизнь, – способна подчас ухватить истину, попасть в самое сердце истины. Мистический Пятый пункт, и Положение о паспортах, и, возможно, многое другое, о чем мы можем лишь смутно догадываться, – все было одно к одному. Я принадлежал к особой группе людей и, в сущности, заслуживал совершенно особого паспорта. Вместо всех пунктов и цифр там могло бы стоять только два слова: русский интеллигент.

21. ДВЕ ВЕРЫ

Определяйте слова, сказал один мудрец, и половина споров станет ненужной. Русское слово „интеллигенция" не имеет эквивалента в западноевропейских языках. Хотя оно более или менее точно воспроизводит латинское слово intelligentia, которое встречается еще у авторов первого века, смысл его существенно иной. Интеллигент в России – не совсем то или, вернее, совсем не то, что на Западе интеллектуал.

Что же именно? К сожалению, совет Декарта в нашем случае невыполним. Полистав словари, убеждаешься, что в определениях, притязающих на научность, исчезло что-то важное. Это „что-то", возможно, и составляет душу интеллигенции. Ибо интеллигенция, это странное порождение русской жизни, не может быть описана ни как чисто социальный, ни как чисто культурный, ни как вполне психологический феномен. Если представить себе общественную группу, которая противопоставила себя обществу, если представить культурный слой, стремящийся разрушить культуру, если, наконец, представить себе партию, у которой нет лидера, нет устава, нет политического влияния и политических полномочий, если вообразить некий орден, чуждый всякой дисциплины и организации, то, может быть, мы приблизились бы к пониманию интеллигенции. Но не проще ли сказать: интеллигент – это судьба? Удовлетворит ли кого-нибудь такая дефиниция? Если бы мы имели возможность опросить русских образованных людей разных эпох, что они думают о себе как об общественной группе, получили бы мы одинаковый ответ?.. И все же общим для всех было бы убеждение, что для того, чтобы понять, что значит быть интеллигентом в России, надо сознавать себя им, надо им *быть*, совершенно так же, как понять Россию можно только, если в ней живешь.

Итак, согласимся, что в определение интеллигенции входит невозможность дать ей четкое определение, и выразим скромную надежду, что смысл и природа русской интеллигенции, величие и ирония ее судьбы станут яснее для нас, если из темных дебрей нашего опыта мы оглянемся на ее прошлое.

В спорах, которые происходят сегодня в кругу интеллигенции, крайне узком, но единственном, где возможна дискуссия на подобные темы, без конца варьируется точка зрения, которую можно кратко изложить так: революция и новый режим уничтожили русскую цивилизацию. Вооруженная импортной идеологией – марксистской заразой, занесенной с Запада, коммунистическая власть выступила как чужеродная и разрушительная сила. Русское государство, которое пало жертвой заговора и насилия, не имеет ничего общего с возникшим на его развалинах Советским Союзом. Русская культура погибла. Иронический парадокс этой проповеди состоит в том, что она исходит из уст людей, которые самим фактом своего существования свидетельствуют, что важнейшая и, может быть, самая характерная для России традиция, ее внутренний нерв, – не прерваны.

Интеллигенция – явление послепетровского и, следовательно, достаточно позднего времени. В черновых набросках предсмертной оды Пушкина „Я памятник себе воздвиг нерукотворный..." есть зачеркнутая строфа: „И долго буду тем любезен я народу, // Что звуки новые для песен я обрел, // Что вслед Радищеву восславил я свободу // И милосердие воспел”. Человека, упомянутого здесь, можно считать родоначальником русской интеллигенции.

Александр Николаевич Радищев, студент Лейпцигского университета и ученик Мабли и Руссо, от которых он набрался „французской заразы” (как выразилась Екатерина Вторая), был первым русским писателем послепетровской эпохи, чья точка зрения на положение в стране радикально разошлась с точкой зрения правительства. В 1790 году он напечатал на домашнем печатном станке с помощью крепостных слуг сочинение под названием „Путешествие из Петербурга в Москву” в количестве шестисот пятидесяти экземпляров, был за это приговорен к смертной казни и помилован императрицей, которая заменила виселицу ссылкой в Сибирь.

Книга Радищева никогда не имела широкого распространения и во всяком случае давно перешла из разряда читаемых произведений в разряд почитаемых; но ее первая фраза известна каждому культурному человеку в России. „Я взглянул окрест меня – душа моя страданиями человечества уязвленна стала”. Под этими словами могли бы подписаться все поколения интеллигенции; внуками Радищева, сознавали они это или нет, были и поэт-декабрист Рылеев (которому выпало на долю дважды умереть на эшафоте, – повешенный неумелым палачом, он сорвался и, с разбитым лицом, был повешен снова), и эмигрант Герцен, издатель первого свободного русского журнала „Колокол”, с эпиграфом: „Зову живых", vivos voco, из „Песни о колоколе" Шиллера, и певец русского крестьянства Некрасов, и бывший социалист и заговорщик Достоевский, ставший монархистом и мистиком национализма.

Если Радищев был дедушкой интеллигенции, то ее отцом стал Петр Чаадаев. От первого она унаследовала сочувствие угнетенным; второй научил ее философствовать. Чаадаев – загадочная фигура, его биография – это чередование пятен света и тени, большая часть его рукописного наследия (он писал по-французски) исчезла, а оставшиеся сочинения даже в России по-настоящему известны немногим. Единственный сохранившийся портрет изображает российского европейца двадцатых годов, надменного щеголя в высоких воротничках, с бритым моложавым лицом, ледяным взглядом и сверкающим черепом. Блестящий гвардейский офицер, герой войны с Наполеоном, Чаадаев внезапно оставил службу и укатил в чужие края. Возможно, это спасло его от участия в восстании декабристов. В Эрлангене он подружился с Шеллингом и вел с ним долгие беседы, в Париже встречался с религиозным философом и публицистом Ламенне, в Риме стоял в толпе, благоговейно взиравшей на „священного старца в тройной короне". Спустя несколько лет он вернулся в Москву, где вел жизнь одинокого чудака-философа, изредка появляясь в салонах и смущая светскую публику желчными парадоксами. Когда в середине тридцатых годов один московский журнал напечатал его „Философическое письмо", первый из цикла эпистолярных опытов об историческом пути России, автор был официально объявлен сумасшедшим, журнал закрыт, а издатель сослан.

С тех пор почти восемьдесят лет ничего из написанного им не появлялось в подцензурной печати. Незадолго до революции цензурные ограничения были сняты, и сочинения Чаадаева, все, что удалось разыскать, вышли в свет; но в СССР он вновь состоит под необъявленным запретом, что, впрочем, следует считать естественным.

„Прошлое России удивительно, ее настоящее более чем великолепно; что же касается будущего, то оно выше всего, что только может нарисовать себе самое смелое воображение. Вот с какой точки зрения следует оценивать русскую историю". Эта впечатляющая декларация государственного патриотизма принадлежит начальнику тайной полиции Александру Христофоровичу Бенкендорфу. Изречение графа можно было бы перепечатать в „Правде", не изменив в нем ни одной запятой. Чаадаев не мог не быть предан анафеме в тогдашней России; его писания не могли не оказаться под спудом в России сегодняшней. „Я не научился, – говорит он, – любить свою страну с закрытыми глазами, с преклоненной головой, с запертыми устами. Я нахожу, что человек может быть полезен своей стране только в том случае, если ясно видит ее..." Что же он видит? Эта страна выпала из мировой истории. Существование нации, подобно жизни отдельного человека, должно иметь какой-то высший смысл, у народов и государств есть свое назначение, которое реализуется в их истории. Россия его не выполнила. Наследница „гнусной" Византии, она отлучила себя от великого человеческого единства, каким представлялся философу западноевропейский мир, и обречена на затхлое бездуховное существование где-то на обочине столбовой дороги, по которой шествуют цивилизованные народы. Ее история бессмысленна. Ее прошлое позорно, настоящее малосимпатично. Что же касается будущего...

Стоит заметить мимоходом, что такой взгляд на тысячелетнюю Святую Русь как на страну без собственной культуры и цивилизации был не только не нов, но, что существенней, вовсе не обязательно означал, что на этой стране надо поставить крест. Готфрид Лейбниц писал царю 16 января 1712 года: „По-видимому, высшим промыслом предначертано, чтобы науки, обойдя земной круг, утвердились в России, и Вашему Величеству предстоит стать орудием этого промысла. Заимствуя лучшее из того, что достигнуто по обе стороны от Вас, — в Европе и на Востоке, — Вы еще более усовершенствуете сии блага, а так как во всем, что касается образования, Ваша держава представляет собою как бы лист чистой бумаги, то Вы не станете повторять те ошибки, кои незаметно и постепенно копились в Европе; ведь это все равно что построить новый дворец рядом со старым, который строили, перестраивали, портили и исправляли много веков подряд". Итак, нетронутость цивилизацией как некое преимущество. Как бы ни относиться к такому заявлению, — сколько в нем веры в Россию, в ее будущее! Но явление Чаадаева, этого юноши-старика, само по себе опровергало тезис о доисторической девственности России и отсутствии у нее культурного самосознания: такие мыслители приходят скорее для того, чтобы подвести итог сложному и противоречивому прошлому, чем для того, чтобы гадать о грядущем. Сетования на отсутствие культуры — сами по себе факт культуры. Более поздние из дошедших до нас „Писем" и „Апология сумасшедшего" (откуда заимствована приведенная выше цитата) говорят о том, что Чаадаев нащупывал какие-то пути из тупика. Кажется, он считал желательным, чтобы Россия примкнула к католицизму. Порой сквозь отчаяние у него прорываются совсем другие ноты: неожиданная и горделивая уверенность в том, что Бог уготовил России особое, еще неведомое будущее; тогда его охватывает профетический восторг.

Не станем углубляться в чаадаевскую, далеко не расшифрованную метафизику истории; достаточно сказать, что она обозначила момент, начиная с которого русская мысль устремилась по двум магистральным руслам. От московского отшельника берут начало западничество и славянофильство – два взаимоисключающих варианта русской идеи, точнее, два рецепта спасения страны. В том, что эту страну надо „спасать", что в ней что-то неладно, новорожденная интеллектуальная элита не сомневалась, и это, собственно, и составляло одну из ее отличительных черт. С той поры две веры то и дело сталкивали друг с другом два стана интеллигенции, до известной степени они поляризуют ее по сей день. Довольно трудно говорить об этих верах, отрешившись от наших сегодняшних представлений. Концепцию западничества можно условно назвать „французской". Она питалась идеями французских просветителей, от которых восприняла идею социального прогресса, понимаемого как постепенное приближение к идеалу народоправства, равенства сословий, свободы и суверенности человеческой личности. В конце восемнадцатого века в столице Петра на левом берегу Невы, по проекту французского скульптора Фальконе был воздвигнут конный памятник царю-реформатору, в лавровом венке, с рукой, простертой к горизонту: там, за стрелкой Васильевского острова – золотой полог зари. Куда ты скачешь, гордый конь, и где опустишь ты копыта? В Европе, – отвечали западники. Просвещение народа, отмена крепостного права, конституция. Пока еще мало кто отваживался договорить до конца, что́ все это значит: что народоправство несовместимо с самодержавием, равенство сословий означает ликвидацию сословий, а суверенитет личности осуществим в этой стране лишь ценой разрушения всей системы вековых институций и ценностей. Прежде надо было решить главный вопрос.

Точку зрения славянофилов, у которых было много общего с иенскими и гейдельбергскими романтиками (следует упомянуть также о сильнейшем влиянии Шеллинга), можно назвать, опять-таки с долей условности, „германской". В этом смысле их источники были свежее. Сама же концепция выглядела нарочито архаичной.

Поэт, философ и историк Алексей Хомяков рассказывает, как однажды в детстве он читал папскую буллу и нашел там ошибку. Он спросил у гувернера, аббата-эмигранта, который учил его латыни и греческому: можно ли считать папу римского непогрешимым, если он делает орфографические ошибки? Этот анекдот, если угодно, скрывает в себе зерно будущего отношения славянофилов к Западной Европе. (К славянофильству восходит и столь распространенная среди русской интеллигенции манера рассуждать о „Западе" in toto,* смело обобщая весьма разнородные явления и вынося за скобки все, что отличает немцев от французов, французов от итальянцев, континентальных жителей – от англичан; нигде, быть может, единство и целостность Европы не чувствуют так отчетливо, как в России.) Стихи Хомякова хорошо выражают это отношение: „О грустно, грустно мне! Ложится тьма густая // На дальнем Западе, в стране святых чудес..." Ассоциация Запада с закатом, угасанием, упадком напрашивается сама собой. Одновременно с Кьеркегором Хомяков видит тупик, в который зашла рационалистическая мысль: этот тупик – философия Гегеля, наиболее очевидное свидетельство разложения отвлеченного, оторванного от основ бытия рассудка. Гегелевское „абсолютное знание" о духе есть самоубийство духа. Истинное знание о мире, постижение его последней тайны лежит по ту сторону логики. Оно требует всех способностей человека; в нем соединены непосредственное восприятие мира, „разумная зрячесть" и вера в Бога. Западному человеку такая полнота знания, такая открытость миру давно уже не под силу. Почему? Потому что Запад отпал от живой веры, от восточного христианства.

Как и у западников, за точку отсчета новой русской истории принимается реформа Петра; но она представляется славянофилам стихийным бедствием, которое обрушилось на мирную, благодатную, православно-христианскую, в высшей степени свое-

* в целом (*лат.*).

обычную страну. Реформа расколола русское общество, породив оторванное от национальной почвы культурное меньшинство, она стремилась привить нации чуждые ей формы жизни, разрушить самое дорогое – целостное жизнеощущение. Слава Богу, народ не поддался. И ныне истинные принципы христианской жизни сохранились лишь у славян, точнее – у русского народа. К народу, хранителю сказок и песен, носителю самобытной религиозности и справедливой общественности, нужно вернуться, ибо западные нормы социальной жизни и государственного устройства непригодны для России: у нее свой путь.

Символом западничества был Петербург, город, по выражению Аполлона Григорьева, „регулярный", выстроенный русскими крепостными мужиками среди финских болот под руководством французских и итальянских зодчих. Город туманов и влажных ветров, несущих дыхание Атлантики, с прямыми летящими проспектами, гранитными набережными и мостами, с классической стройностью и барочным великолепием Зимнего дворца, чугунным ангелом, обнимающим латинский крест на вершине Александрийского столпа, и золотым шпилем Петропавловской крепости, стерегущей морские ворота России от шведов.

Символом славянофильских упований, напротив, оставалась старая Москва. Москва, древняя столица князей, полувосточная красота которой поразила Наполеона, Москва, сгоревшая до тла и отстроенная заново, чья прихотливая, чувственная, органически национальная женственность противостояла военно-дисциплинарному, мужскому и официальному духу

Петербурга; город невысоких домов и кривых запутанных переулков, в белой кипени яблонь, в зарослях бледнолиловой сирени, в крестах бесчисленных монастырей, город, где в неширокой реке, огибающей кремлевский холм, отражаются башни с орлами и за зубчатой стеной грозно блещут купола соборов, похожие на древнерусские шлемы, – город, чьи улицы, расходясь лучами, продолжаются в почтовые тракты и пропадают в бескрайних просторах России. Сравнение и противопоставление двух столиц, являющих собой как бы два лица национального мифа, на протяжении всего девятнадцатого века было излюбленной темой русской эссеистики, зачином и рефреном вечного спора о двух стезях развития России.

В дальнейшем дороги славянофилов и западников разошлись еще круче: одна линия вела к реакционному православно-монархическому почвенничеству, другая к революционному терроризму „Народной воли". При этом обе носили регрессивный характер. Обе представляли собой „конкретизацию" идеи, другими словами, вырождение более или менее глубокомысленной историософии в достаточно плоскую политическую доктрину. Но не зря предводитель западников, сын русского барина-вольтерьянца и откуда-то вывезенной немецкой девочки-подростка, называл славянофилов nos amis les ennemis* и сравнивал обе партии, „наших" и „не наших", с византийским орлом, у которого было две головы, и головы эти смотрели в разные сторо-

* наши друзья-враги (*франц.*).

ны, на Восток и на Запад, – но сердце билось одно. У поклонников Европы и апологетов русской самобытности было куда больше общего, чем могло показаться им самим. Это общее предопределило стиль мышления, равно свойственный людям, чьи идейные расхождения подчас достигали такого накала, что каждый мог воскликнуть, как Белинский: „Я жид по натуре и с филистимлянами рядом не сяду!” Теперь они все сидят рядом, за одним столом, но можем ли мы сказать, что нам безразлично, из-за чего они там ломали копья?

22. ИБО ИХ ЕСТЬ ЦАРСТВО НЕБЕСНОЕ

Тогда-то и сложился окончательно тип русского интеллигента, в кружках московских юношей сороковых годов, питомцев университета, перед которыми и сейчас еще стоят почернелые фигуры Герцена и Огарева; тогда сформировался его нравственный и психологический облик, который с поразительным постоянством, напоминающим постоянство биологического генотипа, воспроизводился в каждом следующем поколении. Черты его сохранились до наших дней. Описать этот тип можно, в известной мере игнорируя историю, и дело не только в том, что систематический очерк эволюции русского общественного самосознания и его носителя – интеллигенции – был бы для автора этих страниц слишком трудной задачей. Если можно говорить о смысле истории, то он должен находиться вне самой истории. Русский интеллигент девятнадцатого века, каковы бы ни были его взгляды на исторический процесс, ощущал себя всецело внутри этого процесса. Вместе с тем он был единственным человеком, для которого поиски смысла жизни были едва ли не дороже самой жизни и разгадка смысла истории – важнее истории. Ему не приходило в голову, что он сам был воплощением этого смысла, который выделила из себя – чтобы не сказать извергла – русская жизнь. Ибо он был ей ни к чему. Здесь заключена суть того, что объединяло людей разных поколений и делало похожими друг на друга бойцов враждебных станов. Будучи носителями смысла, они по необходимости оказывались отлученными от реальной истории, они были лишними, ненужными в этой стране, которая медленно, но неотвратимо двигалась навстречу туманному будущему, не слыша их заклинаний и не принимая их жертв. Таков парадокс русской интеллигенции, вытекающий из ее природы; такова драма ее судьбы.

Мы должны представить себе интеллигенцию и „интеллигентность" не только как особый тип сознания, но и как особый образ жизни. Русский интеллигент выработал свои формы общения и быта, вне которых представление о нем останется отвлеченным и которые тоже, как это ни удивительно, дожили до наших дней.

Тургенев рассказывает о том, как он посетил больного, задыхающегося, пылко разглагольствующего Белинского; в разгар спора в комнату входит хозяйка, чтобы пригласить гостя к столу. „Постой, куда же ты, – восклицает Белинский, – какой обед, если мы не решили главного вопроса – есть ли Бог?.." Предания в этом роде стали своего рода клеймами, окружающими лик русского интеллигента.

Одержимость главными вопросами – его отличительная черта, но не менее характерны для него и способ решать эти вопросы, и уверенность, что это можно и нужно сделать сейчас, немедленно, и обстановка, в которой все это происходит. Русский интеллигент как будто на всю жизнь остался студентом. Карьера его не интересует. Он нерасчетлив, „не умеет жить", вечно сидит в долгах. Его темноватая, старая и непроветренная квартира не прибрана, всюду валяются книги. Хозяин неряшлив и ведет весьма безалаберный образ жизни. Все здесь делается кое-как: кое-как едят, кое-как спят. Любимое времяпровождение – сидение в тесном кругу друзей до поздней ночи, за стаканом остывшего чая или рюмкой водки, в папиросном дыму, и бесконечные словопрения.

О чем же здесь говорят, волнуются, кричат до хрипоты? Да все о том же. Уходят годы и сменяются поколения, но темы не меняются. Россия и Запад, наука и вера, история, Бог, народ. Есть что-то угнетающее в этом бесконечном коловращении русской мысли – и что-то трогательное, почти героическое, словно кучка людей топчется на краю обрыва: идти снова вокруг скалы? взлететь? рухнуть? Словно каждое поколение оставляет следующему одни только вопросительные знаки, гипнотизирующие интеллигента, сохраняющие для него необъяснимое очарование и странную актуальность. Русский интеллигент склонен к смелым, часто скоропалительным обобщениям, он мыслит широкими, слабо очерченными категориями, прозаическая работа мысли, осторожный анализ, неторопливое взвешивание всех „за" и „против" – ему не по вкусу. Объекты действительности в его уме превращаются в яркие, почти художественные образы; сам того не замечая, он тяготеет к гиперболизациям и упрощениям. Загипнотизированный идеей или охваченный праведно-разрушительным пафосом, он не слушает возражений. Релятивизм и европейский вкус к компромиссу вызывают у него отвращение. Западные учения и теории усваиваются в виде суммы конечных выводов, мгновенно и решительно принимаются на веру либо столь же безапелляционно отвергаются. История становится историософией, философия превращается в философствование. Религия, искусство, мораль – мешаются в одну кучу. Все это придает мышлению русского интеллигента черты какого-то неистребимого дилетантизма. Но надо понять его роль и место в обществе, чтобы оценить значение этих ночных диспутов, оценить роль интеллигентских кружков в развитии русской мысли и культуры.

Русский интеллигент одинок. Это, можно сказать, его родовой признак, его фатум. Но если враждебность правящей бюрократии, этих каменных уступов власти, кажется ему чем-то само собой разумеющимся, то равнодушие и непроницаемость огромного живущего внеисторической жизнью народа составляет для него источник непрестанных недоразумений и страданий.

Причины его одиночества, его неприкаянности в собственной стране понять нетрудно. Преобразования Петра не изменили традиционного – централизованного и авторитарного – характера политической власти в России; напротив, они его укрепили, сотворив в качестве придатка к феодальной аристократии чиновную бюрократию, – и этот придаток становился все могущественней. Условием такой власти могло быть только полное и безоговорочное отстранение огромного большинства нации от управления страной.

Это отверженное большинство называлось в России народом. Просвещенной, диктующей свою волю правителям, свои вкусы – деятелям культуры буржуазии, „среднего класса" в европейском смысле слова, в России не было. Величайшей и незыблемой опорой бюрократического режима была согнутая в три погибели, широкая и способная вынести любую тяжесть спина русского крепостного мужика. Этот Антей стоял, расставив ноги в лаптях, и смотрел вниз – в землю. Он олицетворял производительные силы страны, он кормил свои трудом и помещика-землевладельца, и чиновного бюрократа, и служителя духа – интеллигента.

Но если у первых двух это обстоятельство не вызывало угрызений совести, – такой порядок казался им естественным, – то интеллигенту было горько и стыдно. Слишком очевиден был контраст, зрелище социальной несправедливости слишком бросалось в глаза, чтобы русский интеллигент, воспитанный в школе европейского просвещения и либерализма, мог спокойно предаваться ученым или литературным занятиям, служить на государственной службе, наконец, просто жить в свое удовольствие. Надо было что-то делать с этой страной или хотя бы вопрошать себя и других: что делать? „Что делать?" – так называется роман, написанный в одиночной камере Петропавловской крепости, об интеллигентах шестидесятых годов, художественно слабая вещь, которая, однако, произвела на публику огромное впечатление. Вести разумный и равноправный диалог с властью было невозможно, – интеллигенция познала это на собственном горьком опыте. Но и те, о ком она радела, ее не слышали и не понимали. Нечего было и мечтать о том, чтобы разговаривать на равных с крестьянином, чей образ жизни и мировоззрение в сущности не менялись на протяжении нескольких веков.

Так чуть ли не с самого начала интеллигенция осознала тягостную двойственность своего положения. Она сделалась не только мыслящим мозгом общества, но и его больной совестью. Совесть – незваный гость; будучи органической частью общества, интеллигенция оказалась в конфронтации с ним. В итоге интеллигенция, все помыслы которой были устремлены к родной стране, повисла в воздухе. В этом состояло то, что Георгий Федотов назвал сочетанием идеализма с беспочвенностью. Положение интеллигентов в России до смешного напоминало положение чуждого и окруженного всеобщей подозрительностью этнического меньшинства. Они и говорили на непонятном для всех языке, и вели себя не так, как все. Попытки „слиться" с народом оканчивались плачевно. Когда юные славянофилы сороковых годов прошлого века, следуя своим убеждениям, обрядились в „исконно русское" платье, народ на улицах принимал их, по свидетельству мемуариста, за персиян. Когда весной 1884 года интеллигентная молодежь двинулась „в народ" и тысячи петербургских студентов и курсисток, переодетых крестьянами, под видом мастеровых, разъехались по деревням, чтобы открыть глаза народу на его бедственное положение, – мужики сначала слушали их с недоумением, а потом стали доносить на них местным властям, и в конце концов вся рать борцов за народное благо, мальчики и девочки, все без исключения очутились в полицейских участках и острогах.

Разумеется, интеллигенту и в голову не приходило винить в подобных недоразумениях простой народ. Лишь изредка он давал волю своей горечи и раздражению. („Нация рабов, сверху донизу все рабы", – вырвалось однажды у Чернышевского.) Но господствующее настроение было иным. Существует некая доминанта просвещенного русского сознания: ее не назовешь иначе, как культ простонародья. Этот культ наложил печать на всю русскую культуру девятнадцатого века – живопись, музыку и, конечно, литературу. Примеры его бесчисленны. Тургенев признается, что его единственное утешение в дни невзгод и печальных дум о родине – русский язык, и добавляет: но такой язык мог быть дарован только великому народу. Знаменитого романиста не смущало то, что этот народ не в состоянии читать его книги и даже не подозревает об их существовании. Достоевский рассказывает, как в детстве его, перепуганного мальчика, успокоил и приласкал мужик Марей – сильный и добрый крестьянин, шагающий в поле за плугом; это воспоминание вырастает в некий символ, и мужик Марей под пером автора „Дневника писателя" превращается в мифологическую фигуру. В „Анне Карениной" Левин косит траву вместе с крестьянами, и чувство, которое овладевает им и передается читателю, можно сравнить с чувством верующего, когда он причащается святых тайн. Между Толстым и Достоевским не было ничего общего; друг о друге они отзывались сдержанно и никогда не встречались. Но в одном они были заодно, в том, что объединяло всю интеллигенцию. Поразительно, до какой степени были единодушны в своем поклонении народу люди разных убеждений, бойцы всех станов, и западники, и почвенники, и реакционеры, и юные республиканцы, и замшелые монархисты. И автор „Кому на Руси...", и автор „Выбранных мест из переписки с друзьями". И Рахметов, и Шатов. И Лев Толстой, и полубезумный Федоров. Поразительной была эта уверенность, что именно русский простой народ, пусть нищий, пусть невежественный, владеет сокровенной истиной, что только у него надо учиться праведной жизни. Только здесь, в темной избе, где на деревянной лавке, накрывшись тулупом, лежит уставший за день крестьянин, на печи спит его семья, а в углу, перед почернелым ликом византийской Богородицы всю долгую ночь мерцает неугасимая лампада, только здесь приютилось подлинное христианство.

Мы должны с особым вниманием задержаться на этой точке интеллигентского сознания, потому что она повлекла за собой неожиданные последствия. Впрочем, такие ли уж неожиданные? „Коль любить, так без рассудку!" — восклицает граф Алексей Константинович Толстой. Достоевский признавался, что во всем он доходит до крайности, до предела; черта, свойственная его героям и вообще очень русская черта. Интеллигент в России не довольствовался выражением сочувствия трудовому люду. Его исступленный демократизм принял, по крайней мере у многих и лучших, самоубийственный характер. Его безнадежная любовь влекла его к мученическому венцу. Сострадание к униженным и оскорбленным, желание хоть чем-нибудь им помочь вылились в готовность распять себя во имя любви к своему кумиру, принести в жертву народу все ценности, которыми владел интеллигент. Другими словами, они обернулись враждой к культуре.

Поистине здесь кроется какое-то вековое недоразумение, сдвиг понятий, быть может, непостижимый для иностранца. Уважение к человеку труда, прежде всего к крестьянину – всеобщему кормильцу, к нелегкой жизни, которую он ведет, сочувствие к бедняку, – преобразилось в этой стране во что-то совсем другое, стало источником самобичевания и поклонения тьме. Русская жизнь, однако, позволяет понять этот сдвиг. По-видимому, в Европе не существовало столь глубокой пропасти между рабочим людом и людьми духа, не было такого антагонизма между трудом и культурой. И потому нигде так остро не чувствовали, что читать умные книжки, спорить и рассуждать – стыдно, когда рядом с тобой кто-то вкалывает с утра до ночи; нигде труд не был таким проклятием, нигде он не был так прочно соединен с нищетой, нигде не было такого навязчивого сознания, что если ты не встаешь засветло, не всовываешь руки в дырявое тряпье и не плетешься на каторжную работу, не пашешь, не сеешь, не надрываешься, не роешь своими ногтями каналов и на своих костях, как на шпалах, не прокладываешь железных дорог, если ты ничего этого не делаешь, то потому, что кто-то делает это за тебя, и, значит, ты со своими книгами, со своими учеными занятиями в уютном и теплом кабинете – дармоед и захребетник. Ни в какой другой стране стыд, уязвленная совесть, сознание неоплатного долга перед народом не сочетались с такой истовой верой в народ и готовностью стать перед ним на колени.

Нигде слова Нагорной проповеди „Блаженны нищие духом" не были поняты так, как в России, – ибо в России они были поняты буквально. Нигде нищета духа не была окружена таким ореолом святости, ибо противоположное состояние – духовное богатство, сложность и утонченность – связывалось с представлением о богатстве материальном. Русский интеллигент не был богачом. Он мог быть даже полунищим, как Раскольников, и все же каким укором должна была стать в его собственных глазах его чистая одежда, сколь постыдны были его неисцарапанные, не обезображенные тяжкой работой руки, хорошие манеры, образование, правильная речь. Те же великие учителя, которые заповедали интеллигенту долг служения простым людям, – внушили ему мысль о ненужности всего того, что недоступно этим людям: о тщете науки, о паразитизме культуры, о греховной сути всякого эстетизма и утонченности, о великом грехе искусства. Творец „Войны и мира" осудил собственное творчество (за несколько десятилетий до него пришел к той же мысли Гоголь – и швырнул в огонь рукопись второго тома „Мертвых душ"). Достоевский устами своего alter ego Шатова провозгласил народ богоносцем. Завороженная этой наркотической идеей, интеллигенция стала напоминать монашеский орден, секту флагеллянтов и самоубийц. Проповедь Шатова – ответ „бесам". Но и сами бесы – революционные террористы семидесятых годов – лишь внушали себе и другим, что их зловещие подвиги служат делу освобождения народа, – истинным побудительным мотивом была не польза, а жертвенность.

Русская пословица говорит: „От трудов праведных не наживешь палат каменных". Пропасть между трудом и богатством, укоренившаяся в народе уверенность в неправедном, небожеском происхождении всякого благосостояния были переосмыслены как противостояние труда и культуры. Русская литература, свет и разум страны, взглянула на себя глазами своих любимых героев – косноязычного праведника Акима из „Власти тьмы", слабоумной Хромоножки из „Бесов". Парадокс заключался в том, что антикультурная проповедь русских писателей отлилась в формы, которые сами по себе были порождением высокой и изощренной культуры. Но эта культура несла в себе предчувствие гибели ее носителей.

23. МУЗЫКА РЕВОЛЮЦИИ

Вражду к культуре можно считать специфически русским явлением. Традиция западноевропейского нигилизма, достаточно поздняя, не имеет с ней ничего общего. Ничего подобного, кажется, не знали в Европе, где можно было ставить вопрос, хороша или нет та или иная философия, но никому не приходило в голову, что само по себе занятие философией предосудительно, что искусство – роскошь, оскорбляющая бедняков, а наука – развлечение для празднoболтающих. На Западе, в „стране святых чудес", занимались логическим обоснованием веры и нравственности. На Западе сменяли друг друга век Возрождения, век Разума и век Просвещения. На Западе прозвучал чистый, как хрусталь, голос Паскаля, сказавшего: „Все наше достоинство – в разуме, будем стараться правильно мыслить, вот основа морали". В России же, чтобы не обидеть народ, уверяли себя и других, что культура есть зло, что ум и просвещение – орудие дьявола; в России думали, что если Христос обратился к ученикам со словами: „Будьте как дети...", то это значит, что надобно в самом деле вернуться к детской непосредственности, к букварям и сказкам, что всякое размышление губит веру, дух враждебен морали и условием праведности может быть только отречение от мысли.

И в конце концов, охваченная мазохистским восторгом, русская интеллигенция подожглась и сгорела во имя любви к народу, а народ этого даже не заметил, и тощие коровы сожрали тучных, но сами не стали толще, и кривые избы, повалившиеся заборы, безмерные расстояния, грязь, скука, холод и невылазная нищета сгубили все, отравили всякую радость жизни, вытравили или поставили под сомнение все свежее, сильное, свободное, оригинальное и талантливое: под бременем беспросветной бедности все это стало казаться непозволительным и непристойным, как непристойно было бы, говоря словами Толстого, танцевать, идя за плугом.

История безответной любви – вот как можно было бы назвать полуторавековую историю русской интеллигенции, и, как многие истории такого рода, она окончилась самоубийством. „Если ненавистное счастие истощит над тобою все стрелы свои, если добродетели твоей убежища на земли не останется... тогда воспомни, что ты человек, воспомяни величество твое, восхити венец блаженства, его же отъяти у тебя тщатся. Умри". Александр Радищев, написавший эти слова, проведя семь лет в Восточной Сибири, наконец, вернулся — и принял яд. Поистине эта смерть была пророческой. С сороковых годов прошлого века, начиная с собраний тайного социалистического кружка, которые посещал молодой Достоевский (он был приговорен к расстрелу, согласно определению генерал-аудиториата, за чтение и распространение знаменитого письма Белинского к Гоголю; весь церемониал публичной казни в Петербурге 22 декабря 1849 года — размер эшафота, одежда осужденных, барабанный бой, священник, преломление шпаг, облачение в белые рубахи и т.д. — был расписан самим царем, вплоть до появления в последнюю минуту гонца с известием о помиловании и замене казни четырехлетней каторгой), — с сороковых годов все легальные и нелегальные оппозиционные и революционные группы были группами интеллигентов. Даже партия, которая называла себя рабочей, состояла по большей части из интеллигентов; Ленин, не упускавший случая подчеркнуть свое презрение к „дряблой" интеллигенции, сохранил характерный облик, манера и выговор старорежимного интеллигента. Но революция, на которую молилась интеллигентная молодежь, которую она раздувала изо всех сил, — стала ее самосожжением. Жертва, которой жаждала интеллигенция, состоялась. Новая власть в кратчайший срок осуществила то, чего старая не сумела добиться за целое столетие; две силы, между которыми находилась русская интеллигенция, одинаково враждебные ей, – власть и народ – сдвинулись наконец и раздавили ее.

И нельзя сказать, чтобы интеллигенция этого не предчувствовала. Больше того, она как будто знала это заранее. По крайней мере за два десятилетия до переворота Семнадцатого года, и в особенности после неудавшейся революции 1905-06 годов, ожидание надвигающегося пожара, опьянение сознанием близкой гибели охватило мучеников мысли и совести. „Не приведи Бог, – когда-то писал Пушкин, – увидеть русский бунт, бессмысленный и беспощадный". Отец Достоевского, владевший небольшим имением, человек жестокого и необузданного нрава, был убит своими крепостными; по некоторым сведениям, он был подвергнут изощренной казни (ему раздавили тестикулы). Сын становится заговорщиком и приговорен к смертной казни правительством. Какой удивительный поворот семейной судьбы, рифмующийся с судьбою страны. В 1908 году, в статье „Народ и интеллигенция" Александр Блок сравнил два стана, „полтораста миллионов с одной стороны и несколько сот тысяч – с другой", с замершими друг против друга, по обе стороны повитой туманом реки, полчищем татар и дружиной князя Дмитрия Донского, накануне Куликовской битвы. Этот образ повторяется в стихах Блока. „Пусть ночь. Домчимся. Озарим кострами // Степную даль. // В степном дыму блеснет святое знамя // И ханской сабли сталь". Революция –

смертельное объятие интеллигенции и народа, апофеоз самоубийственной любви, искупительная жертва... Была ли эта жертва оправдана? Быть может, ирония судьбы, жестокая ирония русской истории выразилась в том, что возмездие, постигшее интеллигенцию, было заслуженным? Уже спустя несколько недель после октября Семнадцатого года интеллигенты растерянно спрашивали себя: что происходит? Народ – солдаты, возвращающиеся из окопов, крестьяне, мастеровые, сельская и городская голытьба, – народ склонен был отождествлять их со вчерашними хозяевами. Справедливо ли? Смешно спрашивать. Народ всегда прав. Или всегда неправ. Сказалась вековая ненависть к „белой кости", к белоручкам в пенсне и сюртучках, к образованности и культуре. А новое государство – и это становилось все яснее с каждым днем – своей жестокостью оставило далеко позади старый самодержавный строй. Но интеллигенция была готова воспринять эту жестокость как расплату за грехи прошлого. Она все еще была охвачена апокалиптическим восторгом. „Мы, русские, переживаем эпоху, имеющую не много равных себе по величию", – писал Блок в 1918 году. Его собственная усадьба в Подмосковье была разграблена крестьянами, библиотека сожжена. Величайший поэт русского двадцатого века призывал „слушать музыку Революции" – это что-нибудь да значило. В августе 1920 года он умер, распухший от цынги, крича от болей, при явлениях глубокого помешательства. Почти одновременно был расстрелян по неподтвержденному обвинению в причастности к монархическому заговору Николай Гумилев. В 1922 году по распоряжению Ленина из страны была выслана большая группа писателей, философов и ученых – цвет тогдашней русской интеллигенции; это была гуманная мера. Другие – многие тысячи блестяще образованных и одаренных людей – окончили свои дни в лагерях.

Вместе с этими последними римлянами гуманитарная культура страны исчезла, казалось, навсегда. Ее заменила всеобщая грамотность и идейно-политическая унификация. В лице нового привилегированного слоя режим приобрел черты общественного порядка, который древние называли охлократией, владычеством черни; можно добавить, что эти черты он в большой мере сохраняет по сей день. На протяжении многих десятилетий после смерти Ленина ни один из руководителей страны не умел правильно говорить по-русски. Сочинения Сталина даже в отредактированном виде удивляют своей примитивностью; о безграмотности Хрущева ходили легенды; героические усилия, которые предпринимал Брежнев, чтобы произнести такие сложные слова, как „социализм" и „капитализм", напоминали муки господина Журдена. Ближайшее окружение вождей, а за ним и вся партийная и государственная бюрократия подстраивалась к этому эталону, так что порой казалось, что фраза Ленина о том, что кухарка будет править государством, подтвердилась: хотя кухарка так и не стала Генеральным секретарем КПСС, тем не менее культурный уровень правящего класса приблизился к уровню кухарки. Слова „интеллигент" и „интеллигентский" на долгие годы остались бранными эпитетами. Культурная революция обернулась одичанием. Духовный стандарт общества упал так низко, что страна стала напоминать древнюю империю, завоеванную варварами; этими варварами, однако, были ее собственные дети. Руины взорванных и загаженных церквей выглядели последними полумертвыми свидетелями рухнувшей цивилизации. Времена, когда русская литература покорила мир, казались античной древностью; ее место заняла убогая советская литература. Ничего не осталось от изумительного искусства, от оригинальной философии русского Серебряного века. Не было больше ни творцов, ни носителей, ни потребителей этой культуры.

И, однако, Феникс воскрес. Он восстал не из пламени, не в столбе света, ослепившем мир, и даже не из золы. Из ничего.

24. РЕКВИЕМ ПО ИСЧЕЗНУВШЕМУ НАРОДУ

Может быть, это и есть самое удивительное, что демонстрирует нам поздняя осень русской истории: возрождение интеллигенции. Многое, очень многое изменилось. До неузнаваемости перестроилась структура, переменился самый облик русского, ныне советского общества. „Народ" исчез. Этот священный пароль интеллигенции, слово, под которым подразумевалась в первую очередь компактная масса патриархального русского крестьянства и в меньшей степени – бедный городской люд (сохранявший, впрочем, связь с деревней и крестьянскую психологию), плохо подходит к нынешнему населению СССР, где сельские жители составляют меньшинство, а земледельцев в собственном смысле и того меньше. Оно поголовно грамотно, в огромном большинстве своем безрелигиозно и подвергается ежедневному и повсеместному воздействию государственных средств массовой информации (или дезинформации). К этому надо прибавить возросшую роль и активность национальных окраин. Как и прежде, вершину и основание государственной пирамиды образуют русские. Но они составляют лишь около половины населения страны. В целом метаморфоза столь велика, что еще сорок лет назад Георгий Федотов считал возможным говорить о формировании новой нации: он сравнил судьбу русского народа с судьбой греков четвертого века, чуть ли не на глазах одного поколения превратившихся в другой этнос – в византийцев. – И все-таки!

Я понимаю, что попытка реконструировать социально-психологические типы прошлого – или проще говоря, чтение русской классической литературы – создает опасный соблазн. Соблазн отождествить себя с благородным предком, если не попросту изобрести для себя родословную; соблазн пренебречь историей и просто забыть о том, что с нами стряслось за последние шестьдесят или семьдесят лет. Но уже само по себе желание заглянуть в потускневшие зеркала истории в надежде отыскать там свое отражение, увидеть свое далекое „я" свидетельствует о восстановлении оборванных связей. Нечего и говорить о том, что нынешняя интеллигенция дышит совсем другим воздухом, чем старая. Выросшая в закрытом обществе, она заметно уступает ей в собственно культурном отношении; даже лучшие ее представители не свободны от некоторого провинциализма. Зато она располагает уникальным опытом жизни в условиях тоталитарного государства и со снисходительной горечью, с умудренностью взрослого взирает на иные игры и увлечения западных интеллектуалов.

Все изменилось, и все повторяется, и сто лет спустя мы напоминаем самим себе старых русских интеллигентов, если не дворян, то разночинцев, московских вечных студентов восьмидесятых годов, мы переняли их образ жизни, их неряшливость, их тоску, их любовь к полуночным словопрениям над остывшим чаем. Бог знает, откуда это взялось, ведь многие из нас – не русские по крови. Говорят, когда-то во Франции небывалый мороз уничтожил виноградники, но была привезена из-за моря и посажена американская лоза и дала такое же вино, как было прежде. Так и новые российские интеллигенты – наследники тех прежних, хоть мороз покалечил всю поросль и топор вырубил все ее корни.

Интеллигентов немного, во много раз меньше, чем просто людей, окончивших высшую школу. Но они находят друг друга. Внутренние разногласия дробят их на более или менее обособленные группы, но все они едины в своем презрении к тирании. Беспомощные и уязвимые, как всякий, кому оружием в жизненной борьбе служат мысль и слово, они находят в себе силу противостоять мертвящему окружению и в сущности неистребимы. Это она, все та же или почти та, ничего не забывшая, но и многому научившаяся русская интеллигенция, „гнилая", согласно классическому определению Ленина, с ее неповторимым и невозможным ни в какой другой стране духовным складом, неумением существовать в шорах определенной профессии, специальности, ученой или литературной карьеры, с ее особой религиозностью, редко конфессиональной, чаще выступающей в одежде религиозного свободомыслия либо агностицизма, с ее одержимостью историософскими проблемами, которые она причудливо мешает с политикой, с ее неизлечимым дилетантизмом, другое имя которому – универсализм. Именно в этой среде, в немноголюдных, но достаточно многочисленных интеллигентских кружках, сосредоточенных в крупных городах советской империи либо перебравшихся за рубеж (дробление интеллигенции на внутреннюю и эмигрантскую – традиция столь же давняя, как и существование самой интеллигенции), идет невидимая внешнему миру творческая работа, которая может показаться безнадежной и бесперспективной, но которая представляет собой единственную форму духовной жизни, заслуживающую этого названия.

Научилась ли интеллигенция чему-нибудь в самом деле, вырвалась ли она из заколдованного круга изживших себя проблем? Оставим этот вопрос без ответа. Поборники русского национализма почти дословно повторяют ходы мысли православного русского почвенничества столетней давности. Так называемые новые христиане вернулись в Церковь, чтобы запереться там от ветра и холода, от жестокого государства, от страшного века концлагерей и ракет. Обличители бездуховного Запада продолжают проповедь Хомякова с опозданием на сто пятьдесят лет, когда и „Запад" уже не тот, и мы не те. С другой стороны, и движение в защиту прав человека, разгромленное еще при Брежневе (сегодня тайная полиция и политическая психиатрия успешно добивают его остатки), поразительно напоминает демократические и освободительные движения интеллигенции прошлого века со всеми их пороками и слабостями. Но сколь бы сильно ни давало себя знать происхождение современной интеллигенции, от одного наследственного недуга она – или во всяком случае ее демократическая и прозападная часть, – по-видимому, исцелилась: от веры в „народ". От страстной и слепой веры в то, что народ является бессознательным носителем высшей истины и нравственной красоты, последней инстанцией добра и правды. Мучительный роман интеллигенции с народом окончен. В социальном плане это означает осознание глубоких перемен, совершившихся в обществе, в психологическом – избавление от эротической тяги к народу, от жажды раствориться в темной и безличной народной стихии. Существенная перемена в самосознании интеллигенции или, по крайней мере, ее значительной части состоит в том, что она не чувствует себя более обязанной ни власти, ни народу, не испытывает желания быть чьим-либо слугой, не стремится удобрить собой национальную почву, но начинает – если я не ошибаюсь – ощущать себя истинным субъектом истории. Насколько оправданы такие притязания? Кто придет вослед нынешним, уставшим от бесцельной борьбы, бежавшим за границу или притаившимся по своим углам? Что придумают завтрашние интеллигенты, те, кто сегодня покорно плетутся в школу и пропускают мимо ушей то, что им говорят, кто читает Священное писание русской литературы и вычитывает из него недвусмысленную крамолу? Снова ли вырвется наружу, как пламя из-под земли, революционный терроризм? Удовлетворятся ли образованные люди, как во времена Чехова, практикой малых дел, незаметной, терпеливой культурной работой? Только живя в государстве, где любые проявления солидарности тотчас привлекают внимание вечно неспящего полицейского ока, можно оценить чудо воскресения русской интеллигенции. И если для этой страны остался шанс когда-нибудь занять подобающее ей место в кругу свободных народов, — этот шанс можно связывать только с интеллигенцией.

25. МИФ РОССИЯ

Вот я сижу и в который раз перебираю свои безутешные мысли. Перелистываю свои старые тексты и вижу, что ничего не изменилось. Я думаю о моей стране и о том, что такое я сам перед лицом моей страны. Я знаю, что тут решается вопрос всей моей жизни, ведь если бы это было не так, я воспринял бы феномен этой страны лишь как более или менее возвышенную абстракцию; я сказал бы себе, что эта страна огромна, хаотична и разнолика, что ее пространства не вмещаются в мое воображение, что ее история несоизмерима с моей жизнью, что она непостижима, что она для меня просто не существует. И что на самом деле я сопричастен лишь некоторой эмпирической реальности, более или менее неприглядной, и вопрос в том, чтобы определить свое отношение к этой реальности, избегая метафизических терминов, таких как Россия, русский народ и проч.

В действительности это не так, и я ощущаю эту страну, всю страну в целом, физически, как ощущают близость родного человека. И оттого, что я сознаю, до какой степени запуталась, до какой невыносимой черты дошла моя жизнь с этим близким мне человеком, я не нахожу в себе решимости свести проблему к простому вопросу перемены квартиры, не могу спокойно обдумать, как мне устроить для себя новый очаг. Мысль о новом супружестве меня не увлекает. Для этого я слишком намучился в первом браке, да и слишком прирос к своей старой жене. Словом, я одновременно *здесь* и не здесь, *там* и не там, и в сущности говоря, ни здесь, ни там.

Вспоминая бегство из Австрии, события и людей, и вспоминая, как он пытался их описать, писатель-изгнанник Элиас Канетти говорит о том, что у него было чувство, будто любое понятие, которое он применял к этим вещам, меняло их и они становились не такими, какими он пережил их когда-то. Можно ли, однако, освободить „вещи" от понятий, приросших к ним, как кожа? И не верней ли будет сказать, что то, что подразумевается здесь под первоначальным переживанием, есть на самом деле вторичный процесс, который совершается в воспоминаниях, что только в воспоминаниях мы обретаем чистый и целостный, не замутненный сиюминутными пристрастиями, не опосредованный никакой философией образ действительности? Быть может, вытесненный в некоторое особое пространство памяти, истинный лик страны только тогда и открывается нам, когда мы покинули ее навсегда? Но как описать его?

„Умом Россию не понять... В Россию можно только верить...” Твердишь про себя эти строчки, точно грызешь заусеницы. Стихи, в которых отчаяние соединено с неявной аналогией нации с Богом. Постигнуть божество рациональными средствами невозможно. Зато в него можно уверовать! Характерное для русского сознания сочетание приниженности и гордыни, почти религиозная вера в Россию, – или, может быть, желание верить?.. Подлинная вера не требует доводов, не нуждается в подтверждениях. Но на чем держится этот колосс? Не один я ломал себе голову над этим вопросом, и уже то, что его задает себе одно поколение за другим, представляет замечательную особенность страны. Почему она до сих пор существует? Все, что сказано выше о российской государственности, о политическом строе Советского Союза, о массовом образе жизни, должно быть отнесено скорее к отрицательным ценностям коллективного сознания. Я не отрицаю их мощи как организующих и консервирующих факторов. Все же они составляют лишь поверхностный слой, доступный описанию сравнительно простым языком политической истории или социальной психологии. В глубине души дремлет иное – почти невыразимое чувство. Это чувство можно назвать истинной верой.

Существует чувство России. Назвать его патриотизмом или национализмом значило бы свести его к набору шаблонных понятий. Оно свойственно самым разным людям, принадлежащим ко всем этажам общества. Тому, кто не симпатизирует режиму, оно позволяет игнорировать режим; тому, кто кормится его подачками, оно служит оправданием: ибо он всегда может сказать себе, что изменить государству значит посягнуть на Россию.

Это чувство связано с огромностью страны. Если прав австрийский писатель Э.Канетти (автор книги „Масса и власть"), и каждый народ обладает своим массовым символом, концентратом его самосознания, то для России этот символ – даль. Бесконечная даль, рассеченная пополам дорогой. Можно ехать много дней подряд, и забыться, как забываются под действием чудного наркотика, и почувствовать, как гремящий на стыках, качающийся, словно колыбель, вагон стоит на месте и пространство медленно разворачивается навстречу длинному, в полкилометра поезду, и увидеть, как далеко впереди неустанно работает локомотив; и за окнами будет Россия, и на следующей станции будут снова надписи на кириллице, и в купе войдут люди, разговаривающие на русском языке, и расплакавшийся ребенок будет что-то лепетать по-русски. Можно проехать полсвета, повидать два континента, оставить за собою одну за другой несколько великих рек, пересечь несколько климатических поясов, тундру, тайгу, степь, миновать сожженные солнцем солончаки и въехать в пустыню – и все это будет еще Россия. Существует переживание дали, чувство потерянности и вместе с тем – безопасности, чувство, что за тобой – беспредельное пространство, где можно скрыться, пропасть, где тебя никто не настигнет. Такая большая страна не может погибнуть. Существует русский Бог, существо, мало похожее на христианского Бога, и, конечно, существо, в которое никто не верит;

но он существует. Этот Бог ленив и беспечен. Он предпочитает махнуть рукой на все происходящее: авось разберутся без него. Вот отчего в этой стране все идет вкривь и вкось. Но в последнюю минуту, на краю пропасти, перед самым концом, этот Бог вмешается. Он не допустит, чтобы Русь загремела в тартарары. В конце концов, бывало и хуже; а все как-то обходилось. Обойдется, Бог даст, и впредь.

Не революционное прошлое, не гражданская война, не успехи индустриализации служат источником гордости, нет, над всем этим прошлым стоит черная тень. Но подлинным источником утешения, тайного самолюбования, горделивой уверенности в том, что никакие испытания не могут сокрушить страну, самая огромность которой служит залогом ее устойчивости, – остается для миллионов людей война, память о войне, сама по себе переросшая в новый миф. Мотивы этого мифа вплетаются в предания, которые сохранились в каждой семье. Война – единственная область прошлого, где официальный словарь не вступает в противоречие с народным сознанием, и в контексте военных воспоминаний даже имя Сталина не вызывает у простых людей ни насмешки, ни презрения. В конце концов им безразлично, кто такой был Сталин на самом деле. Но то, что самая страшная катастрофа пронеслась мимо, а страна как была, так и осталась, то, что самая сильная армия мира сломала себе шею в России, служит до сих пор высшим и последним доказательством – чего? Конечной правоты, обоснованности веры в Россию. Быть может, впрочем, и эта гордость – всего лишь временная историческая оболочка веры, которая неподвластна времени и существует если не в пику истории, то как бы с ней наравне.

Веру эту можно определить как смирение паче гордыни. Ибо самая неустроенность нашей страны, неразумие, бедность, грязь, какая-то вековечная невезуха – непонятным образом укрепляют веру. Трезвый анализ убеждает, что у этой страны нет будущего; а одна вера никого не убедит. Вера эта заключает в себе колоссальный потенциал терпения – и, по-видимому, ничего конструктивного. С такой верой невозможно стать предметом зависти и восхищения для других, невозможно остановить пораженного Божьим чудом созерцателя и заставить, по слову Гоголя, посторониться другие народы и государства. Но с ней можно жить.

„Вижу тебя, из моего чудного, прекрасного далека вижу...” Для людей, оставивших Россию, все повернулось наоборот, и глухая, недобрая земля наша сама превратилась в прекрасную даль, которая уходит все дальше и дальше и раздвигается все шире и шире.

НЕМЕЦКИЙ ЭПИЛОГ

Если когда-нибудь голос свыше спросит меня, как он спрашивает, вероятно, каждого человека: „Где ты был, Адам?" – я отвечу: собирал малину. Вел за рога по лесным тропинкам двухколесного друга. Медленно крутил педали вдоль тихих, опрятных, таких опрятных, словно по ним прошлась не метла, а щетка, городков, мимо церквей, похожих издали на остро заточенные карандаши, мимо бензоколонок с развевающимися флагами, мимо кукольной богородицы в золотой короне на крошечной головке, с ребенком на руках, – и думал о странной судьбе, которая привела меня в эту страну.

„Как вам удалось уехать?" Удивительный вопрос, ведь он предполагает, как нечто само собой разумеющееся, что у всякого нормального человека всегда найдется достаточно причин эмигрировать из Советского Союза, бежать без оглядки, загвоздка лишь в том, как это осуществить. С этой точки зрения, конечно, совершенно безразлично, что же все-таки заставило человека уехать оттуда, где не только деревья, но и люди говорят на родном языке, какая метла вымела его прочь из города, чьи улицы, переулки, сумрачные дворы, темные лестницы суть не что иное, как густо исписанные и исчерканные страницы толстой растрепанной книги, которая называется его жизнью. Но, Боже милостивый, как же можно было бросить ее, не дописав до конца?

Я объясняю. На своем неуклюжем книжном языке, на языке, который так прекрасно воспроизводит классиков русской литературы и так плохо приспособлен для рассказов о русской действительности, я пытаюсь растолковать собеседникам, как действуют законы, или, если угодно, как функционирует беззаконие, которое парадоксальным образом мне помогло; ибо, конечно же, мой случай – счастливое исключение. Я пробую рассказать, каким образом мои отношения с отечеством, напоминающие долгое и мучительное супружество, завершились наконец скандальным бракоразводным процессом. Слушатели кивают, им не надо объяснять, из каких дебрей мы выбрались, они и так это знают, интерес убывает по мере того, как я вязну в подробностях, они все поняли и ничего не поняли. И я бы на их месте не понял. Нельзя рассказать историю любви. Нельзя объяснить смысл разлуки. Невозможно растолковать, как случилось изгнание, ибо оно началось задолго до того, как счастливца вместе с его чемоданом выставили за дверь.

Но в конце концов это не так уж важно. С прошлым, каково бы оно ни было, покончено, и остается лишь удивляться судьбе.

Давным-давно, во времена моего детства, в нашем старом кинотеатре на Чистых Прудах шел фильм „Граница на замке". Крылатое слово тех лет. Публика радостно хлопала доблестным пограничникам. И никому из сидевших в зале под дымным лучом, по-видимому, не приходило в голову, что́, собственно, означает название картины. Никто не смел себе признаться, что это они, весь народ до последнего человека, сидят в своей стране взаперти. Никто не мог и помыслить о том, что ключ когда-нибудь повернется и врата приоткроются – пусть на самую малость, но так, чтобы в эту щелочку успела проскользнуть горстка людей. Пылающая река, отделявшая наш потусторонний мир от земного мира, была частью государственной мифологии, слово „граница" приобрело мистический смысл, и такой смысл оно сохранило для людей нашего поколения навсегда.

И вот настал день, когда мне предстояло пересечь границу так же просто, как перешагивают через ручей. Или как прыгают через костер: разбежаться, зажмуриться – и ты уже на другой стороне. Или как шествуют через Красное море, с ужасом и восторгом взирая на расступившиеся воды. Внезапная катастрофа отъезда, несколько дней, оставшихся на сборы, выполнение почти невыполнимых формальностей, садизм чиновников фараона, делавших все возможное, чтобы убить у изменника родины последние сожаления о том, что он расстается с ней, – все вдруг отсеклось и отплыло, все потеряло значение. Я воображал себе какую-то комнату и посредине белую черту: здесь „мы", там „они". Нас впустили за перегородку, на другой стороне остались провожающие и, плача, махали нам руками, но и здесь были все еще „мы"; началась проверка нашего скарба, перетряхивание рубашек, перелистывание книг; затем в каморке, где были только стол и два стула, произведен был обыск с раздеванием догола. Мой семнадцатилетний сын поднял руки, как я почти в этом же возрасте на Лубянке тридцать три года назад. „Ты что думаешь, – усмехнулся таможенник, – здесь гестапо?" В соседней комнате ту же процедуру проходила моя жена. Это было, конечно, не гестапо. Это был все еще Советский Союз. Лишенные гражданства, имущества, документов и прав, мы все еще находились во власти рогатого Минотавра, всесильного государства, и оно могло поступать с нами так, как считало нужным. Оно проявило милость. Самолет был тоже „наш", радио говорило по-русски, и на лацканах у служащих красовалась эмблема Аэрофлота; граница летела вместе с нами. И лишь приземлившись, пройдя по узкому проходу мимо бортпроводниц, последних свидетелей нашего бегства, лишь когда спустились по лесенке и вышли на аэродром, – мы вдруг заметили, что пылающая и опалившая нас черта осталась позади.

После безумной спешки отъезда – тишина, спокойные лица, странное чувство свободы и потерянности, что-то похожее на невесомость, а кругом нагретые солнцем камни, знакомые с младых ногтей. Где-то у Толстого говорится, что первую половину дороги мысли путника остаются с теми, кого он оставил, а затем устремляются вперед, обгоняя его, к местам и людям, которых он еще никогда не видел. Нескольких часов полета было довольно, чтобы предвкусить небывалое будущее. Но одновременно оно было священным прошлым. Что тут особенного? Я не знаю ни одной книги, написанной в России в девятнадцатом веке и описывающей впечатления от Европы, где не говорилось бы о том же: о томительном чувстве возвращения, об уверенности, что когда-то, в другой жизни – ты здесь уже был.

И, может быть, самым сильным переживанием первых минут, часов и дней были надписи. Светящиеся вывески венского аэровокзала, рекламные щиты, буквы на крышах, город с названиями улиц, голос вагоновожатого, объявляющий остановки в полупустом трамвае на Линцерштрассе. Язык! Время шарахнулось вспять. Небрежный и мимолетный, с непривычным акцентом, порой неразборчивый и все-таки тот же самый, знакомый с детства язык. Не знаю, как описать это состояние, – представьте себе, что вы приехали в Древний Рим. Вы бродите по улицам, которые видели в детстве на картинках, крутите головой и, обалдев, читаете вывески. „Пейте кока-колу!" – на языке Марка Аврелия.

Мне рассказывал в Москве один раввин о своем брате, замечательном знатоке священного языка, Библии и Талмуда. Тринадцать поколений его предков были учеными. Восьмидесяти с лишним лет он приехал в Иерусалим, вышел на улицу и задал вопрос первому попавшемуся мальчишке. Мальчуган поглядел на его бороду и покачал головой. „В чем дело?" – спросил старик. „Дедушка, – сказал мальчик, – ты очень плохо говоришь на иврите!"

Итак, приготовьтесь заранее к унижениям, которым подвергнется в этой стране ваша ученость, ибо страна эта, этот Рим, этот Иерусалим, существует на самом деле, а ваша филология молчаливо исходила из презумпции, что ее нет. То, чем гордилась ваша память, здесь ничего не стоит. Здесь уличные сорванцы позволяют себе пренебрегать глагольными формами, потому что они их прекрасно знают, бродяги, сидящие на скамейках, не путают мужской и средний род и даже не догадываются об этом. Здесь на священном языке поэтов запросто болтают изо дня в день, на нем лепечут младенцы и шамкают старухи, его понимают собаки. Вся нация, удивительный народ, от мала до велика, без запинки, с царственной небрежностью и свободой говорит по-немецки.

Так началось для нас приключение, которое одна немецкая поэтесса – Хильда Домин назвала Одиссеей языка. Кроме воздушной, водной, городской или деревенской среды, есть невидимая языковая среда; тексты и речи, и этикетки, и надписи на стенах – лишь внешние проявления этой среды, нечто вроде осадков, самую же среду не замечаешь, пока дышишь ею на родине.

В другой язык входишь, как входят в воду. Холодно, страшно и весело. Постепенно свыкаешься, превращаешься в амфибию; вот теперь бы и оттолкнуться пяткой от дна и поплыть! Но нет. Ты обречен плескаться в мелких водах. Пуститься в плаванье подальше можно только на утлом суденышке родного языка. Странствия по чужому языку полны восхитительных неожиданностей, его закаты изумляют необычайными красками. Но этот язык беспределен. Его горизонт обманчив. Сколько бы вы ни плыли, вы никогда к нему не приблизитесь. Язык, сказал Мартин Хайдеггер, это дом бытия. В этом доме чужого бытия вы никогда не будете чувствовать себя дома, ибо для этого надо было в нем родиться. И отныне ваш удел – стоять, вцепившись в борт, на качающейся палубе, всю оставшуюся жизнь. Существует профессиональный недуг эмигрантов: он называется морской болезнью.

* * *

Наше пребывание в австрийской столице было лишь очень кратковременной остановкой, и, собственно, речь не о ней. Речь идет о Германии, которая уже втягивала нас в свое магнитное поле, в некотором смысле была уже вокруг нас. Мы были беженцы. Мы были свободны. Клочок бумаги величиной с почтовую карточку, сложенную вдвое, — выездная виза, единственный документ, который мы могли предъявить, — оставлял нам необозримо широкий выбор или, что в данном случае то же самое, одинаково закрывал путь на все четыре стороны, как надпись на перекрестке: направо пойдешь, потеряешь коня, налево — голову сложишь; все страны были для нас чужбиной, все дали звали к себе — терять было нечего! Мы были свободны, как никогда в жизни, ибо родина ограбила нас дочиста, политическая свобода оказалась помноженной на свободу от всех привязанностей, от „святилища привычек”, как выразился один знаток этих дел, от грехов и от заслуг. Но на самом деле жребий был уже брошен. Говорили, что в Германии легче найти работу, что там есть закон, опекающий иностранцев. Приятельница прислала приглашение. Все это были доводы, придуманные, чтобы придать видимость разумного решения тому, что предшествовало всем доводам, и на самом деле я чувствовал себя именно так, как должна себя чувствовать металлическая пылинка вблизи магнитного полюса.

Но в конце концов почему Германия? Почему не...? Ах, лучше всего было бы двинуть в Древнюю Грецию, в Афины пятого века. Но туда невозможно купить билет. Израиль? В самом деле, что могло быть естественней? В этой стране меня ждали. Несомненно, это была единственная на всем свете страна, где нас не встретили бы как эмигрантов. Мы еще не успели покинуть аэропорт, как в воздух поднялась и ушла на юго-восток белая птица с голубым щитом Давида. Улетела без нас. Почему? Как ни странно, я могу дать этому только одно объяснение: потому что рядом находилась Германия. Потому что конь, на котором сидел чуть ли не в нижнем белье витязь, уже тянул голову в ту сторону, где, теоретически говоря, ему надлежало пропасть.

Никто не знал, как нас там встретят. После всего, к чему приучает жизнь в России, баварская пограничная полиция может показаться каким-то благотворительным обществом, и все же никто не мог предсказать, как мы там будем жить. Казалось, язык должен был облегчить первые шаги, Гете и Шиллер, старые добрые руки, поддерживали меня, я озирался вокруг, и мне казалось, что я на каждом шагу узнаю все ту же вечную Германию духа, в которой я вырос. Кто бы мог подумать, что это узнавание, это, казалось бы, выделявшее меня среди других пришельцев преимущество некоего возвращения, немного времени спустя обернется совсем другой стороной, что этот язык, покуда он будет восприниматься лишь как код великой культуры, — здесь, именно здесь станет помехой, что он будет мстить и бунтовать и понадобятся особые, почти гротескные усилия, чтобы отучиться наконец глядеть на людей и страну сквозь магический кристалл литературы? Впрочем, мне нетрудно представить себе какого-нибудь восторженного идиота, прикатившего издалека, который ходит по Москве, восклицая: „О, наконец-то! Святая Русь!.. Страна Толстого и Достоевского! Наконец-то я увидел тебя”.

Страны подобны художественным или мифологическим образам: в них всегда остается нечто недоговоренное, к ним никогда нельзя относиться как к отражениям действительности; каждая страна присутствует в сознании в виде некоторого фантома, который возникает Бог знает из чего, из преданий и предрассудков, из школьного мусора, из каких-то клочьев тумана, плывущих из незапамятного детства, и из звучания самого имени: ведь русское слово „Германия” воспринимается совсем по-другому, чем немецкое Deutschland. Иначе и волшебнее звучат названия земель и городов, – кто об этом забыл, пусть прочтет стихи Багрицкого „Птицелов”, – в них, в этих названиях, слышится нечто неведомое немецкому уху, за ними скрывается что-то, чего, возможно, не видят и никогда не видели немецкие глаза. Ибо тайна переживания чужой страны не менее интимна, чем тайна национализма. „Нам внятно все – и острый галльский смысл, и сумрачный германский гений...” – „Он из Германии туманной...” За этими эпитетами стоит целый комплекс представлений. Но было бы неправдой, если бы я сказал, что лунно-серебристая, призрачная, лесная, звенящая птичьими голосами родина европейского и русского романтизма, лунный лик и локоны Новалиса – были единственным мифом, который однажды и навсегда впечатался в сознание. Рядом с ним и почти из него вырос и заслонил его другой миф, другой образ Германии, наделенный такой же гипнотической силой. Бесполезно было швырять в него чернильницей. Прогнать его не так просто.

* * *

„Право, я живу в мрачные времена! Беззаботное слово глупо. Гладкий лоб говорит о бесчувственности. Тот, кто смеется, еще не услышал страшную весть.

„Что это за времена, когда разговор о деревьях становится почти преступлением, ибо он заключает в себе молчание о погибших...

„Правда, я все еще зарабатываю на хлеб. Но верьте мне: это случайность. Ничто из того, что я делаю, не дает мне права есть досыта. Я уцелел случайно. Если мою удачу заметят, я пропал".

Когда-то в России мне казалось, что стихи Брехта написаны обо мне. О таких, как я, – их было много, – для которых недоверие к более или менее благополучной действительности было нормальным чувством, кто знал: если он жив и ходит на воле, то лишь по чьему-то недосмотру. Теперь и эти стихи стали частью воспоминаний.

Здесь вообще многое напоминает Россию. Моцарт, Бетховен. „Книга песен" и „Книга Ле-Гран", которую я читал в метро, в сорок четвертом году, поздно вечером, катаясь из конца в конец по линии Сокольники–Парк Культуры, потому что дома не горел свет. Близ города Тюбингена, на зеленом холме, стоит часовня, которая украшала толстый том сочинений Людвига Уланда, подаренный мне ко дню рождения, сто лет назад. „Наверху стоит часовня..." Внизу – долина. Я был уверен, что все это поэтический вымысел. Этот вымысел оказался действительностью, чтобы тоже в конце концов напоминать о России.

Но стихотворение Брехта вдруг приобрело другой смысл.

Все, что мы можем сказать о волшебстве немецкой поэзии, о мощи немецкой мысли, о красоте немецких ландшафтов, все это будет ложью, если оно заключает в себе молчание о погибших.

Как же можно было приехать сюда, получить политическое убежище, кров и хлеб из рук этой гостеприимной страны после того, что происходило с ней и в ней еще на нашей памяти? Мы видели на экране ликующие толпы, руки, простертые навстречу Вождю, фотографии, сделанные в концлагерях. – Но теперь это другая страна. – Другая ли? – Германию называют Протеем. Редко какой народ так круто поворачивал, до неузнаваемости менял свой облик, как немцы на протяжении последних полутора столетий. Германия в год смерти Гегеля и Германия в 1871 году, через каких-нибудь сорок лет. Усы Вильгельма Второго и физиономия Шикльгрубера. За всеми переменами, однако, осталось нечто незыблемое: чинная жизнь небольших опрятных городков, музыка из окон, часовня на холме. Трудолюбие, добросовестность, серьезность. Ах, об этом говорено уже тысячу раз, написаны целые библиотеки. Вечный вопрос: потому ли этот народ стал добычей тоталитаризма, что он был таким, а не другим, – или он стал *таким* оттого, что пал жертвой тоталитаризма?

Тот же вопрос мы задавали себе в России. Но в России значительное большинство народа лишено исторического сознания, людям не приходит в голову, что целое государство может стать преступным; между тем как просвещенные немцы должны были это понять. Они поняли это; но было уже поздно. Они поняли это, иначе демократия, хотя бы и насильственно внедренная победителем, не пустила бы здесь глубокие корни, какие она все-таки сумела пустить. Ко всей этой истории должна была бы присмотреться русская „историософская" мысль, но она слишком зациклена на самой себе.

А все же удивительно, как эти две страны, которых история чаще сталкивает лбами, чем заставляет протянуть руку друг другу, повторяют одна другую, связаны тайной близостью, притом что трудно найти два других столь разных народа. Существует параллелизм политического, в обеих странах запоздалого, и параллелизм духовного развития, разительное сходство между эволюцией „русской идеи" и немецкого романтического национализма, вначале голубого, затем багрового, сходство наркотически-чарующего почвенничества, общая тяга назад, в лес и деревню, к средним векам, эротическое влечение к народу, в женственно-темную глубь, существует близость Леонтьева и Ницше, Ницше и Достоевского, Розанова и Клагеса, общее для обеих традиций открещивание от эгалитарного прогресса, от соблазнов технической цивилизации, от торгашеской демократии, отталкивание от французского рационализма и английского прагматизма – в Германии, от „Запада" – в России. Тоска по утопии – и там, и здесь. И как некий убийственный итог, в одно и то же время обрыв истории и ее естественное завершение, – общий опыт каннибализма.

Да, конечно: Германия радикально разделалась со своим прошлым, – чего нельзя сказать о ее тоталитарном двойнике. В Германии достаточно провести две недели, чтобы заметить, как сонм историков и публицистов, телевидение, радио и печать не устают бередить старые раны. Все упреки, какие нация могла бросить самой себе, брошены. И, пожалуй, едва ли можно сейчас представить себе страну, где опасность реставрации фашизма была бы менее реальной, чем в Германии. Повторил бы теперь Томас Манн то, о чем он писал когда-то Вальтеру фон Моло, – что ему страшно возвращаться в Германию? Вернулись бы мы в Россию, если бы она тоже стала обществом свободы и уважения к человеку? Нет, – я бы, по крайней мере, побоялся. Ибо это кажется невозможным. Однако точно так же, полвека назад, это казалось немыслимым и невероятным в Германии. Как на безумца посмотрели бы на того, кто сказал бы, что во второй половине века эта страна станет самой мощной демократией Европы.

* * *

Демократия и культура состоят в сложных отношениях между собой. В культуре есть нечто сопротивляющееся демократии, почти презирающее ее. Культура, если подразумевать под ней жизнь духа, и демократия говорят на разных языках. Но расставаясь с демократией, культура изменяет гуманизму. Этот немецкий комплекс, комплекс высокомерия, есть одновременно и великий урок немецкой культуры, преподанный в нашем веке с убийственной наглядностью.

Где-то между шестнадцатью и семнадцатью годами я поднес к губам запретную чашу с ядовитым наркотическим отваром и отхлебнул от нее со смешанным чувством дурноты, отваги и наслаждения. Я говорю о философии Артура Шопенгауэра. Может быть, следовало назвать какое-нибудь другое имя, но в конце концов, почему бы не это? Мне приятно вспомнить о нем. Во втором томе его трактата, в знаменитой главе о любви, есть место, где говорится, что взаимное влечение влюбленных есть не что иное, как воля к жизни еще не родившегося существа. Новая жизнь вспыхивает уже в тот момент, когда будущие отец и мать впервые видят друг друга. Какая странная, хоть и унаследованная от греков, но чисто немецкая идея. Есть нечто стремящееся стать действительностью, еще не существующее, но уже сущее, – томящееся небытие, которое стучится в мир, словно в запертую дверь. Существует текст, который ждет, чтобы его написали на бумаге. И я помню, как очаровал и озадачил меня этот спиритуалистический романтизм писателя, некогда популярного в России, но в наше время уже бесследно исчезнувшего с горизонта: осужденный самим „Лукичом", он стоял во главе индекса особо зловредных авторов, вместе с Ницше, Шпенглером и им подобными, самый интерес к которым квалифицировался как политическое преступление. Думаю, что это обстоятельство оказало им немалую услугу.

Запрет всегда повышает акции писателя. Напротив, очарование крамольного автора исчезает, лишь только он перестает быть крамольным.

Однако криминальный философ заключал в самом себе некоторое противоречие. Насколько гипнотизирующей, дурманящей была его проза, насколько порабощал и затягивал волшебным ритмом старинный слог и манил мистической красотой благородный готический шрифт (загадочное родство между шрифтом и текстом есть факт, не подлежащий сомнению), – настолько непривлекательным выглядел сам автор. Прочесть его характер на известных дагерротипах не составляло труда. Два-три эпизода его биографии аттестовали его достаточно ярко. Могу представить себе, что было бы, если бы я постучался к нему в дом, во Франкфурте, на улице под названием Schöne Aussicht („Прекрасный вид"). Я так и слышу шаги на лестнице, лай пуделя и скрипучий голос: „Гоните его вон!" Поганый самовлюбленный старик, капризный и мстительный. Семидесятилетний Нарцисс, заглядевшийся на свое отражение в чернильнице. Это противоречие между человеком и его творчеством, контраст гениальности и мещанства, почти ничтожества, постепенно перерастал в какой-то зловещий символ. Быть может, он был предчувствием великого антихристианского искусства, который таила в себе немецкая мысль.

В Вене – я снова возвращаюсь к первым дням – мы брели по Рингу под пышными каштанами, это было на другой день после приземления, и здесь тоже, как потом в Германии, казалось, что улица выметена щеткой, а не метлой. Сорок лет назад на этой улице кучка седобородых евреев, кто на корточках, кто на коленях, чистила мостовую зубными щетками. Между ними прохаживались полицейские, а на тротуаре стояла гогочущая толпа.

Нашему поколению не нужно было объяснять, что значит слово „немецкий". Все формы ненависти сошлись в одной: биологической, эндокринной. „Так убей же хоть одного, так убей же его скорей. Сколько раз ты увидишь его, столько раз его и убей! В Германии, в Германии, в проклятой стороне..."

День начала войны 22 июня 1941 года, самый длинный день в году, был счастливым днем моей жизни. С утра радио передавало бодрые марши, музыка гремела на улицах, солнце играло в стеклах домов, вся старая и скучная жизнь была разом отменена. Мне было двенадцать лет. В полдень передавалась речь Молотова. Меньше двух лет назад он подписал пакт о дружбе с Германской империей, он говорил тогда о справедливой борьбе германского народа против англо-американского империализма, башмаков еще не успели стоптать. Теперь он сказал, что ответственность за развязанную войну несут германские фашистские правители, и я помню, как резануло слух это слово „фашистский", вот уже два года как вычеркнутое из лексикона. Ожидали, что выступит Сталин, но Сталин куда-то делся, и целых две недели о нем ничего не было слышно. В те дни трубный глас близкой победы с утра до вечера раздавался из репродукторов, разнесся слух о том, что наши войска взяли Варшаву, Будапешт и Бухарест; потом вдруг все поняли из невнятных и противоречивых военных сводок, из глухих и зловещих намеков, что немцы окружили Ленинград, подошли к Смоленску и, может быть, через неделю-другую будут в Москве.

Нужно было жить в те времена, много лет изо дня в день слышать песни и оды о непобедимости Красной армии, видеть фильмы о парадах на Красной площади, панно и плакаты с шеренгами марширующих шагов, с частоколом штыков, с эскадрильями и парашютистами, нужно было каждый день читать и слышать о том, что мы живем в самой справедливой стране и потому при малейшей угрозе, при первой попытке врага посягнуть на наши священные рубежи народы мира, трудящиеся всех стран и, разумеется, прежде всего пролетариат Германии поднимутся на защиту первого в мире государства рабочих и крестьян, нужно было это слышать, ведь и сейчас, через столько лет, стоит только закрыть глаза, и музыка, и гром, и гомон начинают звучать в ушах: если завтра война... малой кровью, могучим ударом... ни одной пяди своей земли... артиллеристы, точней прицел... но если враг нашу радость живую... на его же территории... ведь от тайги до британских морей... эй, вратарь, готовься к бою... ты представь, что за тобою полоса пограничная идет! Нужно было этим жить и всему этому верить, чтобы почувствовать, как велико было изумление, смятение, ужас, охватившие миллионы людей, когда они догадались, *что* происходит на самом деле. Невиданная по мощи и организованности армия не шла, а маршировала, не ехала, а катилась, не наступала, а неслась на нас, давя и сметая все на своем пути, немецкий пролетариат и пальцем не подумал пошевелить ради нашего спасения, народы мира помалкивали, и единственным, да и то далеким и полуреальным нашим союзником, словно в насмешку над великим учением, оказались империалисты: тучный Черчилль и загадочный дядя Сэм.

Через неделю после начала войны мой отец вступил добровольцем в народное ополчение, некое подобие войска, в спешке и панике сформированное из мелких служащих, немолодых рабочих второстепенных предприятий, музыкантов, учителей, парикмахеров и других бесполезных людей. В начале июля ополчение выступило в поход в составе 32-й армии, вместе с ней попало в гигантский котел между Смоленском и Вязьмой и в короткий срок было истреблено почти до последнего человека.

Время неслось наперегонки с наступавшим вермахтом. Грянули необычайно ранние и жестокие морозы – русский Бог спохватился и, как мог, принялся вызволять свою несчастную страну. Кучки уцелевших полузамерзших людей разбрелись по лесам, и, проблуждав в тылу противника два месяца, отец мой каким-то чудом вышел из окружения. Перед этим он как-то заночевал в одной деревне. Поздно вечером в избу постучались немцы. Молоденький офицер спросил: „А это кто? Откуда? Партизан? Еврей?” Хозяйка ответила: „Он из нашей деревни”.

Интересно, что стало потом с этим человеком. В какой-нибудь немецкой семье висит, наверное, его портрет в черной рамке. Но если считать, что вероятность быть убитым на Восточном фронте равнялась одной десятой, умереть в русском плену – тоже одной десятой, вероятность вернуться калекой и окончить дни в разрушенной и голодной Германии – половине, то остается все-таки некоторая возможность, что он жив до сих пор. В таком случае, почему бы ему не оказаться в Федеративной республике? В Мюнхене? Где-нибудь в тех местах, где и я бросил якорь. Может быть, мы живем в соседних домах, встречаемся каждый день в переулке. А если бы крестьянка сказала правду? Если бы я сам с матерью и маленьким братом в сорок первом году оказался на оккупированной территории? В конце концов это было вполне возможно. Хоть я и не воевал, у меня было, пожалуй, не меньше шансов сыграть в ящик, чем у этого офицера. Хотя бы потому, что я принадлежу к племени, огромное большинство которого сгорело в печах.

* * *

Оставив Вену, мы провели несколько дней на границе, вблизи Берхтесгадена, где некогда находилась горная резиденция Гитлера, в местах изумительной красоты. С необычайной вежливостью полиция препроводила нас в деревенскую гостиницу. Поселок казался безлюдным. В две шеренги вдоль главной дороги стояли плодовые деревья, в траве валялись яблоки, их никто не подбирал. Посреди главной площади на доске объявлений висел бело-голубой плакат с крупной надписью: „Спасите Баварию!" Мелким шрифтом были перечислены беды, грозящие этой стране. Любой из них было достаточно, чтобы ее погубить: экономическая депрессия, угроза коммунизма, разрушение природы и, наконец, нашествие иностранцев. Не видно было, однако, чтобы кто-нибудь проявлял беспокойство по поводу столь катастрофического положения дел, хотя, например, по моей одежде можно было без труда догадаться, что я за птица. Я увидел церковь, высокую и узкую, напоминающую остро заточенный карандаш. У ворот стоял велосипед, и две женщины бродили по маленькому кладбищу. За рядами аккуратных памятников из хорошего камня, с золотыми надписями, отнюдь не говорившими об экономическом упадке, виднелся аляповатый гипсовый ангел, растопыривший крылья над столбцами имен. Это были местные жители, погибшие на войне. Проклятое прошлое буквально преследовало меня! Но теперь я смотрел на него как бы через перевернутый бинокль. Со странным любопытством принялся я читать фамилии, даты, места смерти, то были по большей части совсем молодые люди, едва ли не дети, такими по крайней мере они казались мне теперь. Один убит в Норвегии, другой во Франции, еще кто-то в Греции, на Крите, два или три человека не вернулись из-под Эль-Аламейна. Но и Греция, и Франция выглядели здесь исключениями. Это были, так сказать, счастливчики, которым повезло. Я пробегал глазами надписи, как водят пальцем по строчкам сверху вниз, имя за именем, дату за датой, и почти везде стояло одно и то же слово: Россия. Итак, одной этой альпийской деревни было достаточно, чтобы заполнить лесную поляну где-нибудь в тех местах, где бродил мой отец. Сколько таких деревень в Баварии, во всей Германии, сколько таких полян в России? Советский Союз так велик, что в нем хватило бы места для пятидесяти Германий. Отсюда он представлялся гигантским кладбищем. Только там не было ни ангелов, ни крестов.

И только здесь, в этой по видимости такой благополучной Германии, – ибо тревога, страх, неуверенность, кошмарные сны и неизжитые комплексы не сразу проглядывают сквозь ее почти идиллическое благополучие, как не сразу догадываешься, что означает громадный зеленый холм где-нибудь среди леса, на окраине города, – только здесь, сначала смутно, потом ясней, начинают вырисовываться масштабы апокалиптического возмездия, которое немногим более сорока лет назад разнесло вдребезги эту страну.

„В то время как части вермахта, противостоявшие французам, британцам и американцам, отходили практически без боя, на Восточном фронте продолжалось яростное сопротивление... – пишет итальянец Луиджи Бардзини („Неблагонадежные европейцы", 1983). – Отстатки разгромленных соединений готовы были сдаться англо-американским войскам, лишь бы не попасть в плен к Советам. Миллионы беженцев устремились на запад, только бы не оказаться в советской оккупационной зоне. Дело было не только в идеологии и политике. Было известно, что советские солдаты примитивны, жестоки и недисциплинированы, что они насилуют женщин, а мужчин убивают на месте либо уводят, обрекая их на смерть где-нибудь в глубине своей страны, что они истребляют скот, воруют все что плохо лежит, особенно часы, и раболепно служат своим безжалостным и необразованным начальникам".

Не имеет значения, насколько справедливы эти слова; важно, что возмездие превысило чью бы то ни было планомерную волю. Возмездие настигло этот народ, всех без исключения, устранив разницу между виноватыми и невиноватыми: виноваты были все уже потому, что они были немцы. Возмездие затмило военные, государственные, идейные и моральные соображения. Военные действия шли своим чередом – оно стояло над ними. Поднявшись со дна океана, как цунами, оно перекатилось через головы наступавших и обрушилось на бегущих.

Тех, кто спасся, ждало второе возмездие – уже состоявшееся. К концу войны бывший рейх представлял собой страшное зрелище. Не уцелело ни одного крупного города. В числе последних военных сводок была такая: „Поле развалин, прежде именовавшееся городом Кельном, оставлено германскими войсками". Среди этих развалин высился, словно гигантская двойная сосулька, выщербленный и поврежденный, но все же устоявший семисотлетний Кельнский собор. От Берлина, Гамбурга, Бремена, Франкфурта, Майнца, Вюрцбурга, Дортмунда, Эссена, Нюрнберга, Аахена не осталось ничего или почти ничего. Дрезден был уничтожен в одну ночь. Кольцо огня окружило город, и шестьдесят тысяч жителей и беженцев, запертых в центральных районах, задохнулись в дыму и погибли под обломками. Тысяча двести гектаров руин лежали на месте, где была изумительная столица Августа Сильного. Масштабы, кары, поразившей Германию, можно было приблизительно сравнить лишь с катастрофой Тридцатилетней войны. И в эту съежившуюся, словно шагреневая кожа, ненавидимую всем миром и околевающую Германию хлынуло двенадцать миллионов беженцев из восточных областей. Одни бежали сами, другие были изгнаны после войны. Так закончилось „опьянение судьбой", Schicksalsrausch, словечко, пущенное в оборот Хайдеггером. Наступил Час Нуль, когда многим казалось, что история начинается заново на пустом месте.

* * *

Ничто так не врезается в память, как первые впечатления: ни памятники старины, отчасти уцелевшие, по большей части восстановленные, ни ландшафты, ни даже то, что приводит в остолбенение нашего брата – витрины магазинов с их фантастическим изобилием еды и товаров. Можно было бы сочинить целую поэму о первом попавшемся продовольственном магазине и распространять ее в Москве в качестве подрывной литературы. Символ благополучия и сытости Федеративной республики – ее флаг, три цвета студенческих патриотических корпораций времен войны с Наполеоном. Флаг, похожий на бутерброд: золотистый ломоть хлеба с красной и черной икрой.

Западное благоденствие создает свой собственный язык богатства и бедности, непереводимый на язык русской неустроенности и нищеты, чем и объясняются крайности, между которыми мечется эмигрант: то он чувствует себя приобщенным к неправдоподобно благоустроенной жизни, точно бедный родственник, которому разрешили переночевать в богатом доме, то испытывает, как ему кажется, еще больше лишений, живет еще скуднее, чем на родине; ибо он попросту не умеет жить этой жизнью. Сытая жизнь для него, как и для всякого русского, – синоним легкой жизни, он поглядывает свысока на заевшихся немцев и не хочет понять, что ограниченность естественных благ, безвыходность Германии, сжатой в самом центре многонационального континента, и умение максимально использовать то немногое, что есть в ее распоряжении, пресловутая немецкая аккуратность и бережливость, почти маниакальная любовь к порядку, короче, все то, что русскому человеку кажется непроходимым мещанством, – и есть один из секретов происхождения этого богатства. Обалделый чужеземец бредет мимо ярко освещенных выставок благополучия, словно среди садов Семирамиды, забыв, что еще совсем недавно на месте этих садов высились холмы кирпичей и щебня. „Черти! – шепчет он. – Как живут, а?.. А ведь мы их побили!"

И точно так же раздваивается, колеблется между двумя крайностями ощущение самого себя в этом головокружительно новом мире. Казалось бы, смешно и думать о том, чтобы начать, с лысой головой, новую жизнь, смешно задавать себе вопрос, что изменилось в тебе с переселением на чужбину. На него давно ответил латинский поэт. Coelum, non animum mutant qui trans mare currunt – небо меняет тот, кто бежит за море. Небо, а не душу. А с другой стороны – переменить страну, по крайней мере для людей, как мы, никогда не выезжавших за границу, не то же ли, что родиться заново? Никогда восприятие не бывает таким свежим, как в детстве; эти первые времена и были нашим немецким детством. Но анализировать действительность научаешься позже.

Бог даст, я закончу свои дни в этой стране. В конце концов всего лишь пятьсот лет назад мои предки оставили немецкие княжества и ушли на восток. Еще пятьдесят лет назад они пользовались, когда не хотели, чтобы их поняли дети, рейнско-баварским наречием. Странно, что судьба пощадила меня для того, чтобы я приехал наконец сюда, именно сюда, откуда гибель грозила мне и мне подобным. Странно и дико подумать, что для внуков моих мой родной язык будет чужим. Очевидно, на мне закончилась некая глава. Начинается новая. Проведя три года в Германии, вправе ли я сказать, что понимаю эту страну? Что значит *понимать* страну? Ничто так не раздражает эмигрантов из СССР, как то, что „немцы (американцы, французы) неспособны нас понять". Им не приходит в голову, что эта неспособность есть не что иное, как зеркальное отражение их собственного неумения и нежелания понять иностранцев.

Как-то раз мне посчастливилось увидеть в Мюнхене „Вишневый сад" в замечательной постановке Эрнста Вендта. Три затянутых марлей, ярко освещенных окна должны были означать комнату, за которой находился сад. На тесной авансцене метались действующие лица в экзотически-нелепых костюмах. Потом сели пить кофе, едва уместившись за крошечным столиком. Немного погодя Гаев обратился с приветственной речью к комоду или какому-то ларю: „Дорогой, многоуважаемый шкаф!" Старик Фирс, который по совместительству изображал смерть и был по этому случаю облачен в мундир служащего похоронного бюро, называл Гаева „господин Леонид". Во втором акте деликатный Лопахин ни с того ни с сего съездил прохожего по физиономии. В третьем акте Раневская оплакивала проданный сад, сидя на полу, и танцующие гости перешагивали через нее... Публика смотрела на все это с чрезвычайным вниманием. Чувствовалось, что спектакль захватил зрителей. Итак, вся эта диковинная обстановка, старательно выговариваемые русские имена, ненатуральные жесты, вся эта гротескная липовая Россия – воспринималась всерьез! Мало-помалу, однако, настроение зала передалось и мне. К концу пьесы я, можно сказать, примирился с ней. Она мне даже понравилась. Я шел домой и думал: а что сказал бы немец, посмотрев „Перед заходом солнца" в московском Малом театре, увидев битком набитый зал, завороженно устремивший глаза на сцену? Если существует русский Гауптман и та Германия, которую можно назвать русской Германией, почему не может быть немецкого Чехова? Я не знаю писателя, который ближе, интимнее выражал бы мое чувство России; но в конце концов Чехов принадлежит всем, всему миру. Почему не может быть немецкой России? Велика ли важность, если эта Россия не вполне совпадает с той, которую *мы* считаем единственно подлинной? Тем, кто видит ее иначе, до нас нет никакого дела. Мы маркируем действительность при помощи символов, понятных только нам, сочетаясь друг с другом, они образуют модели; создав модель, мы полагаем, что усвоили действительность, постигли страну. В этой инсценированной нами действительности мы чувствуем себя уютно – до тех пор, пока внезапно не зашатаются фанерные декорации, не повалятся кулисы, и актеры растеряются, не зная, продолжать пьесу или бежать с подмостков.

* * *

Должно быть, теперь мы и заняты тем, что кропаем новую пьесу, после того как действительность разнесла модели, с которыми прожили мы целую жизнь. Об этом можно сказать лишь кратко, ибо слишком велика опасность впасть в схематизм, в умозрительность или сентиментальность. В конце концов выясняется, что не только душу, но и небо мы привозим с собой. Унести на подошвах землю, правда, не удалось. Но если можно, вопреки всему, говорить о „вживании", то оно состоит не в том, чтобы усвоить внешние формы чужеземной жизни, научиться носить другую одежду или привыкнуть к баварской кухне, которую, боюсь, я так никогда и не научусь ценить. Приобщение к новому заключается в том, чтобы почувствовать за благополучием Германии, за свежестью и чистотой ее городов, за красотой дорог, за всем благообразием ее цивилизации – черный провал, след травмы. Эта травма, о масштабе которой можно догадываться лишь живя здесь, возможно, и является концентрированным выражением некоторого тайного смысла немецкой истории. Ее внешний образ – мощный ствол, оставшийся от дерева, спаленного молнией, которая ударила с неба. Взглянув на карту, вы увидите безногий торс. Государство-обрубок, ампутация целых областей, двойное существование бок о бок с другой Германией, враждебной и ненавидящей своего богатого родича, из рук которого, однако, она не гнушается принимать хлеб – и в сущности давно уже является его иждивенцем. Страна-инвалид, с могучими мускулистыми плечами, с мешком за спиной, где сидит ГДР. И, отталкиваясь руками, этот калека, гладко причесанный и благоухающий дорогими духами, в новом с иголочки костюме, со сверкающим взглядом, катится на своей тележке вперед, обогнав идущих на собственных ногах.

Каково бы ни было будущее Европы, оно зависит в первую очередь не от Америки и России, но от этой загадочной страны. Непостижимая – по крайней мере для нас – загадка Германии состоит уже в том, что этот Феникс восстал из пепла, хоть и без крыльев, что эта нация в поразительно короткий срок оправилась после такого разгрома, который навсегда низвел бы любую другую страну на уровень третьестепенного существования.

Загадка Германии – это соединение книжного идиотизма, мечтательности, музыкальности, порывов к сверхреальному – с практическим разумом, волей и дисциплиной. Парадоксальным образом нация, чья склонность к иррационализму по сей день служит лейтмотивом всех рассуждений о Германии и немецкой судьбе, – предстает глазам соседей как народ, ведущий чрезвычайно размеренный, почти геометрический образ жизни, а его страна – как образец разумного, подчас слишком разумного благоустройства.

Существует немало анекдотов о немецком языке, – о французском или греческом, кажется, никто анекдотов не рассказывал, – из коих самым удачным, после классических острот Марка Твена, можно считать рассказ, который приводит профессор Стенфордского университета Гордон Крэг, автор книги "The Germans". Некая американка приезжает в Берлин, чтобы послушать в рейхстаге выступление самого знаменитого государственного деятеля Европы – князя Отто фон Бисмарка. Идут дебаты о социальном законодательстве. Канцлер говорит долго и с увлечением. „Что он сказал?" – „Минуточку, мадам, – отвечает переводчик, – потерпите еще немного. Я жду глагола".

Конечно, только такой рассудительный народ, как немцы, умеющий взвесить все обстоятельства места и времени, прежде чем действовать, – только такой народ может ставить значащую часть глагола на последнее место после всех остальных членов предложения. Только нация, превыше всего ставящая дисциплину, ухитряется выразить все богатство и непредсказуемость человеческого духа на языке, который схватывает мысль, как корсет или рыцарские латы. Богатство частиц, выражающих движение, в сочетании с хитроумной конструкцией имен и жестким порядком слов в предложении, придает немецкому языку какую-то тяжеловесную стремительность, увесистую энергию и мощь, недоступную другим языкам. Кажется, ничто не доставляет столько огорчения россиянину, как этот порядок слов и эти глагольные частицы, внезапно завершающие длинную фразу, словно острие копья. Сравните мерную поступь членов предложения, длинный стройный поезд глагольных форм, следующих за субъектом, как вагоны за локомотивом, сравните эту мужскую, воинскую дисциплину немецкого синтаксиса с текучей, податливой, женственно-капризной, анархической и многословной русской фразой, и вы поймете разницу русского и немецкого характеров, быть может, даже – контраст славянского и германского мира.

Цивилизованный Запад, каким его представляют себе в России, „пригожая Европа”, как называл ее Блок, при ближайшем рассмотрении оказывается Германией; и слово „немцы” еще три века назад означало вообще всех западноевропейцев. Германия, поставлявшая невест для семи поколений русских монархов, обучившая властителей России государственному управлению, бюрократии и военному делу, оставившая так много слов в русском языке, страна-педагог, страна-фельдфебель, трудолюбивая и мечтательная, холодная и сентиментальная, втайне страдающая от своей холодности и неисцелимо одинокая, по сей день остается для нас заколдованным садом, где прячутся феи, а в темном гроте спит грозное войско, где на каждом шагу видны следы работы неутомимых рук. Но садовника нет.